D1152665

QUEL
GENRE DE
GARS
ES-TU?

Helaine Becker

Texte français d'Isabelle Allard

Éditions
SCHOLASTIC

ISBN 978-1-4431-0209-4
Titre original : *The Quiz Book for Boys*

Édition publiée par les Éditions Scholastic, 604, rue King Ouest, Toronto (Ontario) M5V 1E1

5 4 3 2 1 Imprimé au Canada 121 10 11 12 13 14

TABLE DES MATIÈRES

Quel type de super-héros es-tu? 1

Quel type de super-méchant es-tu? 3

As-tu l'étoffe d'un espion? 6

Es-tu un extraterrestre? 7

Es-tu un vampire, un loup-garou ou un zombie? . . . 9

Quel est ton genre de malbouffe? 11

Quel personnage de livres pour enfants es-tu? . . . 14

Es-tu un expert en planche à roulettes? 19

Quelle est ta personnalité sportive secrète? 22

La médaille d'or, est-ce pour toi? 25

Quelle est ta voiture sport de rêve? 28

Connais-tu bien le hockey? 30

As-tu ce qu'il faut pour survivre? 33

As-tu des yeux d'aigle? 36

As-tu des super réflexes? 40

Es-tu ultraflexible? 44

Es-tu en forme? 46

Es-tu vraiment honnête? 54

Quand je serai grand, je serai... 57

Quel est ton style de sous-vêtements? 60

As-tu une famille bizarre? 62

As-tu mauvaise haleine? 64

Chouchou du prof ou tannant de la classe? 66

Peux-tu décoder le langage des adultes? 69

Comprends-tu bien les filles? Vraiment? 71

Es-tu un intimidateur? 73

Es-tu une curiosité génétique? 75

Es-tu de gauche ou de droite? 77

Es-tu un génie? 80

Que vois-tu? 82

Casse-tête visuels 84

Jeux de logique 88

QUEL TYPE DE SUPER-HEROS ES-TU?

Réponds par oui ou non à chacun des énoncés suivants :

1. J'aime voler.
2. Je suis super fort.
3. J'aime les animaux.
4. Je suis intelligent et j'adore la technologie.
5. J'ai un côté mystérieux caché.
6. Je suis bon en gymnastique.
7. J'aime les gadgets de pointe.
8. J'ai mauvais caractère.
9. Je suis fidèle en amitié.
10. Je suis plutôt vantard.

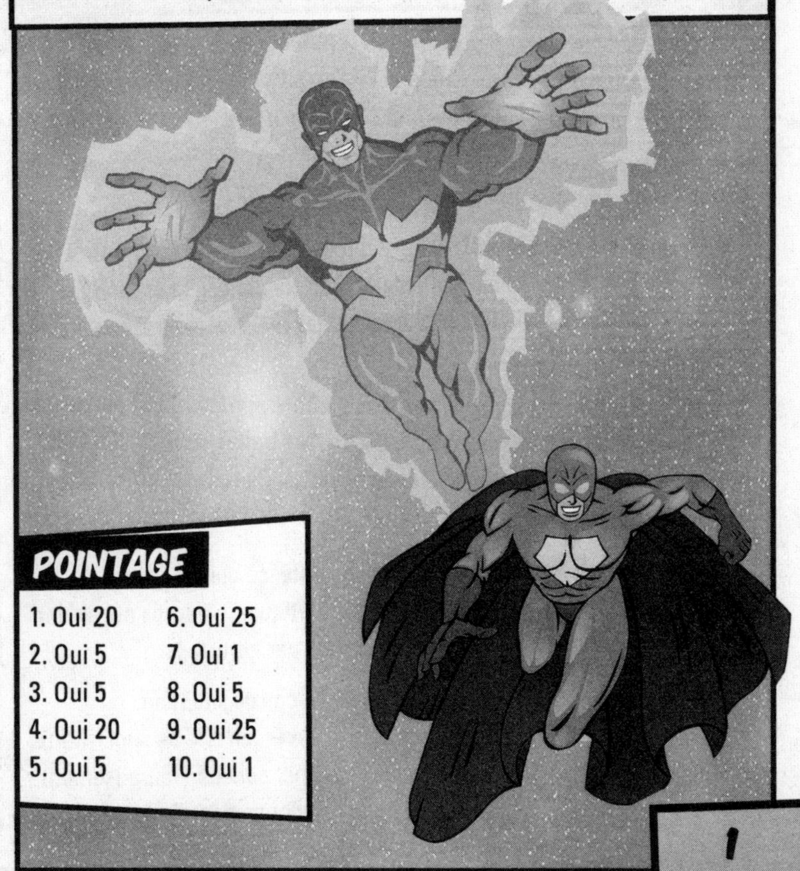

POINTAGE

1. Oui 20
2. Oui 5
3. Oui 5
4. Oui 20
5. Oui 5
6. Oui 25
7. Oui 1
8. Oui 5
9. Oui 25
10. Oui 1

RÉSULTATS

0–20 Ironman (L'Homme de fer). Tu as tendance à te vanter, mais qui pourrait te le reprocher? Tu as les gadgets les plus branchés de la planète (du moins quand Batman est en vacances). Pense à faire carrière dans les affaires ou dans le travail des métaux.

21-40 Wolverine (Carcajou). Tu es glouton et raffoles de malbouffe et de viande crue, mais n'oublie pas de manger des légumes! Tu as tendance à te croire indestructible. Bon, d'accord, tu l'es, mais ta tête ne devrait pas enfler pour autant!

41-60 Superman. Personne ne te comprend vraiment. C'est parce que tu ne te confies pas aux autres. Tu as de très belles jambes, surtout quand tu portes tes collants bleus si seyants. Évite les météorites et les vents contraires.

61-80 Batman. Tu as eu un passé mouvementé, ce qui a forgé ta personnalité bizarre actuelle. Tu es très athlétique. Tu adores escalader, grimper à la corde et te suspendre à l'envers par les orteils.

81+ Spider-Man. Tu es celui qu'on appelle en cas de situation problématique. Pourtant, tu as du mal à assumer ton rôle de super-héros mutant et tu es préoccupé par tes jambes super poilues. Heureusement que tu es en forme, que tu as une bonne coordination main-œil et un tempérament conciliant!

QUEL TYPE DE SUPER-MÉCHANT ES-TU?

Réponds par oui ou non aux énoncés suivants :

1. J'aime inventer des trucs.
2. Je me fais souvent traiter de prétentieux.
3. Les gens disent parfois que je suis fou.
4. J'aime jouer des tours et faire rire les autres.
5. Je veux être riche.
6. J'ai soif de pouvoir.
7. J'ai un esprit scientifique.
8. J'aime créer et résoudre des énigmes.

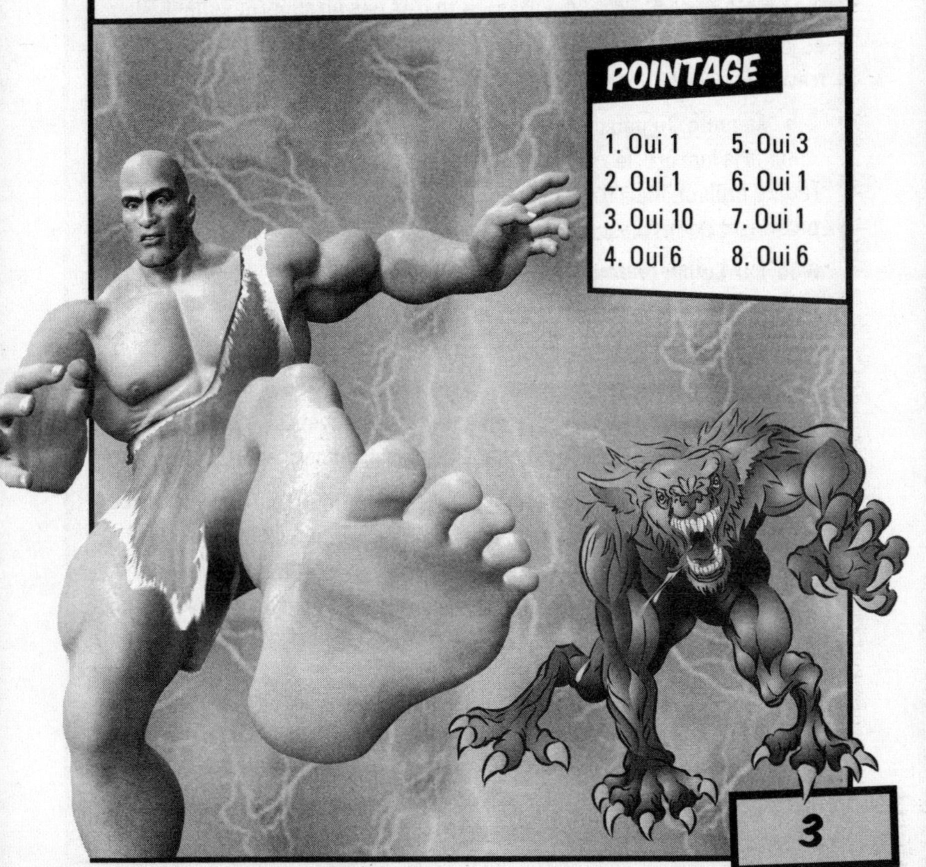

POINTAGE

1. Oui 1	5. Oui 3
2. Oui 1	6. Oui 1
3. Oui 10	7. Oui 1
4. Oui 6	8. Oui 6

RÉSULTATS

0-1 Désolé, tu n'es pas un super-méchant. Tu es juste un méchant ordinaire. Peut-être qu'un jour, tu auras la chance de traverser de bizarres rayons gamma...

2-5 Magneto. Tu peux contrôler les radiations électromagnétiques comme la lumière, les rayons X et les fours grille-pain. Tu crois avoir un regard brûlant, mais c'est seulement à cause de l'énergie infrarouge provenant de l'explosion des grille-pain.

6-10 Lex Luthor (ennemi de Superman). D'une nature avide, tu ne recules devant rien pour conquérir le monde. Si seulement tu avais un tout petit super pouvoir, tu pourrais cesser de t'inquiéter et trouver le bonheur.

11-15 Justin Hammer (ennemi d'Ironman). Cela te dérange vraiment qu'Ironman ait de plus beaux vêtements et des gadgets plus sophistiqués que toi. Tu voudrais bien être le premier à avoir le jouet dernier cri, pour une fois.

16-20 Le bouffon vert (ennemi de Spider-Man). Tu es une pub vivante pour la sécurité au travail. Tu es tellement plein de produits chimiques que tu ressembles à une rainette — une rainette névrosée. Tu aimes gagner beaucoup d'argent, voler dans tes propres engins plus ou moins fiables et traquer Peter Parker.

21+ Le Joker. Tu es peut-être un peu cinglé. Bon, d'accord, complètement cinglé. Tu aimes détruire les choses et porter un maquillage de clown étrange. En te voyant, les gens se sauvent en courant. C'est exactement ce que tu veux. Un petit conseil : oublie les cheveux verts. Ça fait tellement années 80!

SI TU POUVAIS CHOISIR UN SUPER-POUVOIR, LEQUEL CHOISIRAIS-TU?
QUE FERAIS-TU AVEC TON SUPER-POUVOIR?
QUELS SUPER-HÉROS ET SUPER-MÉCHANTS AIMERAIS-TU VOIR S'AFFRONTER?
QUI GAGNERAIT, À TON AVIS?

AS-TU L'ÉTOFFE D'UN ESPION?

TOP SECRET

Réponds par vrai ou faux.

1. Je suis doué pour suivre les consignes.
2. Je suis très observateur.
3. J'ai une excellente mémoire.
4. Je suis premier de la classe dans toutes les matières.
5. J'ai une apparence ordinaire.
6. Je ne suis pas très populaire. Je ne suis pas un rejet non plus.
7. Je m'entends bien avec les gens.
8. Je me mêle facilement à la foule.
9. J'aime l'aventure.
10. Je peux poursuivre une tâche longtemps, même si elle est ennuyeuse.
11. Je pense et réagis vite.
12. J'aime garder des secrets.
13. J'ai beaucoup d'imagination.
14. Je suis en forme.
15. Je sais écouter.
16. J'ai bon caractère.
17. Je suis ordonné et méthodique.
18. Je suis très patient.
19. Je porte attention aux détails.
20. Je peux mettre mes besoins de côté pour un objectif plus élevé.

QUE SIGNIFIE TON POINTAGE :

Additionne le nombre de « vrais ».

0-10 Tu ferais mieux de devenir lutteur professionnel.

11-14 Tu as ce qu'il faut pour être un agent secret. Exerce-toi en lisant le journal intime de ta sœur.

15-16 Tu as un bon potentiel d'espion. Perfectionne dès maintenant tes talents de EGADOCÉD.

17-19 Au cours du mois prochain, ne t'étonne pas d'être recruté par le SCRS (Service canadien du renseignement de sécurité). Sois prêt. Tu es celui qui pourra aider notre pays dans les moments difficiles.

20 Bond. James Bond.

ES-TU UN EXTRATERRESTRE?

1. Que préfères-tu?
a. Jouer à un jeu vidéo.
b. Jouer au soccer.
c. Observer le ciel avec nostalgie.

2. Ta tête...
a. a une belle forme.
b. a plus ou moins la forme d'un ballon de football et reçoit les ondes radioélectriques.
c. fait partie d'une paire.

3. Quelle est ton émission de télé favorite?
a. *Futurama*
b. *La porte des étoiles*
c. *Le Téléjournal*

4. Quelle est ta matière préférée?
a. L'éducation physique
b. L'astronomie
c. Les sciences

5. Comment appelles-tu tes parents?
a. Papa terrien et maman terrienne
b. Papa et maman
c. Des parents? Quels sont ces objets terriens, au juste?

6. Si tu pouvais voyager n'importe où, où irais-tu?
a. Dans un endroit relaxant avec une belle vue, comme celle de la Lune
b. Dans un lieu excitant comme Bételgeuse
c. Au monde merveilleux de Disney

7. Quel est ton plus ancien souvenir?
a. D'avoir été enlevé par de petits hommes verts dans leur vaisseau spatial
b. D'avoir fait un long voyage dans une petite embarcation confortable
c. D'avoir été écrasé par le chien

8. Combien de doigts as-tu?
a. Six... heu, je veux dire cinq.
b. Cinq.
c. Cinq pour chaque main, donc 20 au total.

9. Quelle est ta collation favorite?
a. Des graines de tournesol
b. Du jus de vache accompagné de glucides très sucrés à saveur de cacao
c. Des ions de radium

10. Tu es plus à l'aise avec...
a. des enfants de ton âge
b. des limaces
c. des Zorks

POINTAGE

1. a3 b1 c5	3. a2 b1 c3	7. a3 b5 c1
2. a1 b4 c5	4. a1 b3 c2	8. a2 b1 c5
	5. a3 b1 c5	9. a1 b2 c5
	6. a5 b4 c1	10. a1 b2 c5

TON ORIGINE BIZARROÏDE :

10-15 Humanoïde. Tu es peut-être bizarre, mais ton étrangeté est tout ce qu'il y a de plus humainement ordinaire. Méfie-toi des petits hommes verts qui t'offrent de monter dans leur soucoupe, des scorpions géants et de quiconque te dit « Téléphone... maison ».

16-30 Un croisement humain-extraterrestre. Tu as peut-être été kidnappé dans ton berceau. Ou encore, tu es devenu l'hôte d'une forme de vie extraterrestre. Quoi qu'il en soit, tu combines des traits humains à des bizarreries pouvant indiquer des origines extraterrestres. Si tu es bon en maths, en respiration sous-marine ou en explosion d'objets au moyen de tes yeux au laser, tu devrais communiquer avec le centre OVNI de ton quartier.

31+ Extraterrestre. Nous ne te voulons aucun mal. S'il te plaît, retourne sur ta planète et laisse les Terriens en paix.

ES-TU UN VAMPIRE, UN LOUP-GAROU OU UN ZOMBIE?

1. Quand tu vois de la viande saignante, tu...
a. baves.
b. l'avales tout rond.
c. dis : « vergel mbing croffblad bochhhhhh! »

2. Ta tenue préférée est...
a. un manteau de fourrure.
b. noire. N'importe quel vêtement noir.
c. ton costume d'Adam.

3. Que dis-tu en te réveillant le matin?
a. AAAAAARGGHH!!! La lumière! Ça brûle!
b. Ouah! La lumière! Ça brûle!
c. Bonjour, maman chérie.

4. La corvée que tu détestes le plus est...
a. faire l'argenterie.
b. laver les vitres.
c. faire du jardinage.

5. Avec quelle forme de vie as-tu des affinités?
a. Les chauves-souris
b. Les chiens
c. Les bactéries

6. Tes mains sont...
a. bleues et en décomposition.
b. pâles et délicates.
c. couvertes de fourrure.

7. Ton haleine sent...
a. la nourriture pour chiots.
b. la terre et la moisissure.
c. le sandwich au rôti de bœuf saignant.

8. Où préférerais-tu vivre?
a. Dans un château des Carpathes
b. Dans les forêts des Rocheuses
c. Dans une ville avec un grand cimetière

9. À quel personnage fictif t'identifies-tu le plus?
a. Frankenstein
b. Batman, le héros à la cape
c. L'abominable homme des neiges

10. Si tu n'étais pas un mort-vivant, quel métier aimerais-tu faire?
a. Magicien
b. Dresseur d'animaux
c. Croque-mort

POINTAGE

1. a1 b2 c3
2. a2 b1 c3
3. a1 b2 c3
4. a2 b1 c3
5. a1 b2 c3
6. a3 b1 c2
7. a2 b3 c1
8. a1 b2 c3
9. a3 b1 c2
10. a1 b2 c3

TU ES UN . . .

10-15 Vampire. Dracula te « comte » parmi ses adeptes. Évite la lumière vive et tous ceux dont le nom de famille est Van Helsing. Ta meilleure matière à l'école : la biologie. Ton futur emploi : urgentologue.

16-20 Loup-garou. Voilà pourquoi tu te sens si fatigué quand c'est la pleine lune — parce que tu cours toute la nuit à quatre pattes en hurlant à la lune! N'oublie pas de te peigner régulièrement les jointures pour ne pas te faire prendre. Ta meilleure matière à l'école : l'astronomie. Ton futur emploi : joueur de hockey professionnel.

21-30 Zombie. Tu pues, mon ami! Prends un bain de temps en temps pour cacher cette odeur de pourriture! Tu ne te soucies pas vraiment de l'opinion des gens, parce que tu t'intéresses à une seule chose : leur cerveau! Ta meilleure matière à l'école : le langage des signes et rester debout pour le *Ô Canada*. Ton futur emploi : premier ministre.

QUEL EST TON GENRE DE MALBOUFFE ?

1. Qu'est-ce qui te décrit le mieux?
a. Gentil
b. Dur
c. Athlétique
d. Brillant

2. Quel pays t'attire le plus?
a. L'Afrique du Sud
b. L'Angleterre
c. Le Venezuela
d. L'Égypte

3. Quel sport préfères-tu?
a. Le rugby
b. Le hockey
c. Le tennis
d. Le basket-ball

4. Que préfères-tu faire?
a. Regarder les sports à la télé
b. Pratiquer un sport
c. Jouer à un jeu vidéo
d. Jouer aux cartes

5. Quel genre de livres aimes-tu?
a. Les livres d'aventures
b. Les romans BD
c. Les histoires sur le sport
d. Je n'aime pas lire.

6. Quelle est ta plus grande qualité?
a. Mon intelligence
b. Mon sens de l'humour
c. Ma personnalité
d. Ma détermination

7. Quel métier aimerais-tu faire plus tard?
a. Journaliste sportif
b. Pompier, ambulancier ou soldat
c. Médecin
d. Enseignant

8. Quelle est ta couleur préférée?
a. Rouge
b. Orange
c. Bleu
d. Vert

9. Comment te décrirais-tu?
a. Soigné
b. Crasseux
c. Négligé, mais propre
d. Maniaque de la propreté

10. Quel est ton animal favori?
a. Le guépard
b. Le ptérodactyle
c. Le chien
d. Le papillon

POINTAGE

1. a4 b3 c2 d1
2. a2 b3 c1 d4
3. a2 b3 c4 d1
4. a3 b2 c1 d4
5. a1 b4 c2 d3
6. a2 b1 c4 d3
7. a3 b2 c3 d4
8. a2 b3 c4 d1
9. a4 b1 c3 d2
10. a2 b3 c1 d4

TU ES . . .

10-13 Nachos. Tu aimes la variété et n'hésites pas à partager avec les autres. Lorsqu'il y a une fête, tu es toujours prêt à participer!

14-17 Croustilles et trempette. Avec toi, pas de chichis! Ta vie doit être simple et détendue. Libre et décontracté, voilà ce que tu es.

18-20 Hot dog d'un pied de long. Tu ne fais jamais les choses à moitié. Tu te donnes toujours à 110 pour cent. Mais tu as tendance à mettre les pieds dans le plat.

21-25 Rondelles d'oignon. Tes biscuits favoris sont les Oreo. Tes céréales préférées sont les Fruits en O. Tu aimes le hockey et les danses en cercle. Tu te mêles toujours de tes oignons.

26-29 Biscuits aux pépites de chocolat. Tu aimes aborder les choses lentement, une bouchée à la fois. Même si la vie est parsemée d'obstacles, tu peux les surmonter et avoir une vue d'ensemble.

30-32 Barbotine. Tu préfères le temps froid et les sports d'action comme le ski, le patin et le jeu de dames. Il t'arrive d'être timide, alors fonce et prends des risques! Essaie de manger de la nourriture solide, par exemple.

33-36 Beignes. Tu es un partisan de la loi, de l'ordre et de la graisse. Tu n'as jamais croisé de friture qui ne te plaisait pas. Tu as l'esprit curieux. Par exemple, tu t'es souvent demandé ce qui arrivait aux trous de beigne...

37-40 Tablette de chocolat. Tu n'es pas amer et tu sais comment bien vivre : plongé dans le chocolat jusqu'au cou. C'est ce qui te rend mignon à croquer.

QUEL PERSONNAGE DE LIVRES POUR ENFANTS ES-TU?

Choisis l'énoncé qui te décrit le mieux.

1. Je préfère...
a. la viande crue. > Va à la question 2.
b. les légumes. > Va à la question 3.

2. Je suis...
a. impulsif. > Va à la question 4.
b. doué pour la planification. > Va à la question 5.

3. J'aime...
a. faire du sport. > Va à la question 10.
b. aider les gens. > Va à la question 11.

4. Je me perçois comme...
a. le clown de la classe. > Va à la question 6.
b. un gars loyal et affectueux. > Tu es Clifford le gros chien rouge.

5. J'aime...
a. jouer des tours. > Va à la question 7.
b. me détendre dans le luxe. > Va à la question 8.

6. Ce qui me fait rire :
a. les blagues crues. > Tu es Walter le chien qui pète.
b. les grosses farces, comme un clown qui glisse sur une peau de banane. > Tu es Gloria, la chienne de l'agent Boucle.

7. Je préfère...
a. le silence! > Tu es le Grincheux.
b. faire la fête. > Tu es le chat au chapeau du Dr Seuss.

8. Si j'avais beaucoup d'argent, je m'offrirais...
a. un repas dans un restaurant chic. > Tu es le grand méchant loup.
b. de l'or et des diamants. > Va à la question 9.

9. J'aimerais voyager...
a. dans une limousine avec un bain à remous. > Tu es Greg Heffley *(Journal d'un dégonflé)*.
b. à bord d'un voilier super rapide sur l'océan. > Tu es le capitaine Crochet.

10. Je préfère les jeux...
a. rapides et pleins d'action. > Va à la question 12.
b. de stratégie qui exigent de la rapidité d'esprit. > Va à la question 13.

11. Si j'avais le choix entre deux desserts, je prendrais...
a. de la tarte aux pommes avec de la crème glacée à la vanille. > Va à la question 15.
b. du gâteau triple chocolat. > Va à la question 16.

12. Je préfère...
a. le hockey. > Tu es Félix Michaud des Étoiles de Baie-des-Coucous. Que dis-tu? Tu ne connais pas Félix? Tu ne sais pas ce que tu manques! Dépêche-toi d'aller acheter toute la collection des Étoiles de Baie-des-Coucous, de H. Becker, en vente à la librairie de ton quartier!
b. L'athlétisme. > Tu es Percy Jackson.

13. Généralement, je...
a. respecte les règlements. > Tu es Benjamin la tortue.
b. ne veux pas enfreindre les règles, mais je me retrouve souvent dans le pétrin. > Va à la question 14.

14. Je préfère la couleur...
a. rouge. > Tu es Cuniculicula.
b. jaune. > Tu es Geronimo Stilton.

15. Je ressemble à...
a. un cylindre. > Tu es la chenille qui fait des trous.
b. un gros cercle. > Tu es Winnie l'ourson.
c. un rectangle allongé. > Tu es Clément aplati.

16. L'habit fait le moine, hein?
a. Oui, je porte beaucoup d'attention à mon apparence. > Va à la question 17.
b. Du moment que je n'ai pas à porter les vieilleries de mon gros cousin, je me fiche de ce que j'ai sur le dos. > Tu es Harry Potter.

17. Mon accessoire vestimentaire le plus important est...
a. mon chapeau. > Tu es Willy Wonka.
b. mon caleçon. > Tu es le capitaine Bobette.

CE QUE TE RÉVÈLE TON PERSONNAGE :

Benjamin la tortue. Tu as l'esprit vif, mais tu entres lentement en action. N'aie pas peur de sortir de ta coquille et de montrer ta vraie nature.

Capitaine Bobette. Pour dire la vérité toute nue, tu es culotté et tu as du mal à obéir aux ordres. Tu pourrais faire carrière comme boxeur ou jockey.

Capitaine Crochet. Tu as besoin de te détendre. Tu es toujours pressé et crains de manquer de temps. Tu es vêtu à la dernière mode. Tes amis sont fidèles et te respectent.

Le chat au chapeau. Ta fête préférée est l'Halloween. Tu sais te faire remarquer. Tu pourrais faire carrière dans les relations publiques, la publicité ou la mode. Tu adores la poésie, les moments de folie et les nœuds papillons.

La chenille qui fait des trous. Tu as le don de transformer les choses les plus ordinaires en œuvres d'art. Tu te donnes à fond dans tout ce que tu entreprends, et rien ne peut te détourner de tes objectifs. Un jour, tu surprendras le monde par ton génie.

Clément aplati. Tu as tendance à céder sous la pression. Certains essaient de t'écraser, mais tu sais garder la tête haute!

Clifford le gros chien rouge. Tu es haut en couleur et ne passes pas inaperçu. Tu es prêt à tout pour devenir un gros bonnet. Tu es un ami fidèle, mais souviens-toi que personne n'aime se faire baver dessus.

Cuniculicula. Les gens font parfois des commentaires sur la longueur de tes dents. Tu es intelligent et as une passion pour l'aventure et la laitue.

Félix Michaud. Tu es un athlète-né et tu excelles dans tous les sports. Tu es futé et ingénieux, surtout lorsque tu affrontes des momies armées de ballons de basket, des gladiateurs rancuniers et des pirates puants.

Geronimo Stilton. Tu aimes lire, écrire des histoires et manger du fromage. Tu as le don de te retrouver dans des situations fâcheuses et tu passes souvent à un poil de la catastrophe. Les gens bornés t'agacent.

Gloria, la chienne de l'agent Boucle. Tu as beaucoup de charisme et tu te fais remarquer. Tes amis sont parfois jaloux de ton talent, alors laisse-leur la chance de briller de temps en temps. Après t'être donné en spectacle, n'oublie pas de saluer la foule!

Le grand méchant loup. Tu rêves d'être chef dans un restaurant qui ne servirait que des côtelettes de porc, des saucisses de porc et des fèves au lard. Va régulièrement chez le dentiste, cela aidera à améliorer ton haleine.

Greg Heffley. Tu as de nombreux talents. Tu n'es pas aussi dégonflé que tu le penses, mais tu devrais être plus gentil avec tes copains.

Le Grincheux. Tu as tendance à repousser les autres avant qu'ils n'aient l'occasion de te rejeter. Essaie d'ouvrir ton cœur. Au lieu d'être vert de jalousie, tu pourrais t'épanouir et faire le bien autour de toi.

Harry Potter. Tu crois que le monde recèle des secrets inaccessibles au commun des mortels. Tu peux résoudre les problèmes comme par magie. Tu as la chance d'avoir des amis fidèles sur lesquels tu peux compter, et qui peuvent compter sur toi.

Percy Jackson. Tu sais garder un secret. Ne te laisse pas abattre par tes problèmes familiaux. Sois gentil avec les animaux, car ce sont tes amis.

Walter le chien qui pète. Tu as un système digestif fragile et il t'arrive d'être malade comme un chien. Pourtant, tu adores participer aux jeux de toutes sortes, surtout les jeux de balle.

Willy Wonka. Tu ne fais jamais rien comme les autres. Tu aimes les sucreries. Tu vas réussir en affaires.

Winnie l'ourson. Tu ne te crois pas intelligent, mais tu l'es. Tu as un don pour résoudre les problèmes, surtout s'ils concernent le miel. Les gens aiment ta compagnie, car tu as un grand cœur et sors rarement les griffes.

ES-TU UN EXPERT EN PLANCHE À ROULETTES?

1. Qu'est-ce qu'un ollie?
a. Une façon de projeter la planche dans les airs
b. Une façon de descendre un escalier
c. Une position des pieds sur la planche, pied gauche à l'avant
d. Un fabricant de planches à roulettes

2. Quel élément suivant ne fait pas partie d'une planche à roulettes?
a. Le plateau
b. Les essieux
c. Les roulements à billes
d. La fixation

3. Que veut dire « faire du vert »?
a. Tomber en pleine face.
b. Exécuter une rotation de 360 degrés dans les airs.
c. Faire des figures aériennes sur une rampe ou une demi-lune.
d. Rouler au milieu des voitures dans la rue.

4. Où ce sport est-il né?
a. Dans la 49e rue Ouest, à New York
b. En Australie
c. En Ohio
d. En Californie

5. Qu'est-ce qu'un goofy?
a. Un planchiste débutant
b. Planchiste dont le pied droit est placé en avant sur la planche
c. Planchiste dont le pied gauche est placé en avant sur la planche
d. Quelqu'un qui prétend ne pas aimer la planche à roulettes

6. Quel mouvement n'est pas une figure de planche à roulettes?
a. 5/0 grind
b. Shove-it
c. 180
d. Braker Joe

7. Le longskate (planche plus longue) est utilisé...

a. pour les figures sur demi-lunes.

b. pour les figures de rue.

c. comme moyen de transport.

d. pour les figures aériennes.

8. Les planchistes se cassent souvent...

a. un poignet.

b. une clavicule.

c. la tête.

d. le nez.

9. Où se trouve le plus grand parc de planche à roulettes gratuit d'Amérique du Nord?

a. À Toronto

b. À Los Angeles

c. À Calgary

d. À Nashville

10. Plus les roues de ta planche sont dures, plus tu...

a. roules vite.

b. la maîtrises.

c. coupes facilement les virages.

d. as une planche sophistiquée et chère.

POINTAGE

Accorde-toi 1 point pour chaque bonne réponse.

1. a
2. d
3. c
4. d
5. b
6. d
7. c
8. a
9. c
10. a

RÉSULTATS

0-2 Novice. Tu es un débutant dans l'univers de la planche à roulettes. Encore du chemin à faire, mais tu t'amélioreras rapidement! Vas-y doucement et évite les figures compliquées pour l'instant.

3-5 Ollie-Oh! Assez de planche virtuelle! Il est temps de sortir dans la rue et de te retrouver sous les feux de la rampe.

6-8 Presque Pro. Tu connais la différence entre un grind et un ollie. Maintenant, mets tes connaissances à exécution sur la rampe!

9-10 Ryan Sheckler. Tu es le pro de la cour d'école, l'as qui connaît toutes les figures et les termes techniques. Tu ne vis que pour ce sport. Continue comme ça. Encore quelques années de pratique, et tu seras une grande vedette de la planche à roulettes!

QUELLE EST TA PERSONNALITÉ SPORTIVE SECRÈTE?

Au fond de toi, es-tu un joueur de hockey ou un expert en arts martiaux? Réponds aux questions suivantes pour découvrir quel sport représente le mieux ton style et tes objectifs.

1. Tes saisons préférées sont...
a. le printemps et l'été. > Va à la question 2.
b. l'automne et l'hiver. > Va à la question 3.
c. toutes les saisons. > Va à la question 4.

2. Lorsqu'il fait très chaud, que préfères-tu faire?
a. M'étendre sur un canapé dans une pièce climatisée. > Va à la question 6.
b. Traverser le jet de l'arrosoir en courant. > Va à la question 10.
c. Faire la bombe dans une piscine. > Va à la question 3.

3. Qu'est-ce qui t'amuse le plus?
a. Descendre une colline enneigée à toute vitesse. > Va à la question 8.
b. Regarder une compétition palpitante. > Va à la question 9.

4. Comment te décrirais-tu?
a. Futé et intense. > Va à la question 5.
b. Sociable et plein d'entrain. > Va à la question 10.
c. Sérieux et déterminé. > Va à la question 7.

5. Quels mots te décrivent le mieux?
a. Traditionnel et conservateur. Ta personnalité sportive : le tennis
b. Fou et aventureux. > Ta personnalité sportive : la crosse.
c. Volontaire et résolu. > Va à la question 6.

6. Tu préfères...
a. rivaliser avec les autres. > Ta personnalité sportive : le golf.
b. te surpasser toi-même. > Va à la question 7.

7. Quelle est ta couleur favorite?
a. Noir. > Ta personnalité sportive : la planche à neige.
b. Vert. > Ta personnalité sportive : l'athlétisme.

8. Plus tard, tu voudrais être...
a. célèbre. > Va à la question 11.
b. riche. > Va à la question 10.
c. heureux. > Va à la question 6.

9. Quel repas préfères-tu?
a. De la dinde avec de la farce. Ta personnalité sportive : le football.
b. Un bon hot dog avec des frites. > Va à la question 10.

10. Quel énoncé te représente le mieux?
a. Je n'aime pas semer le trouble. > Ta personnalité sportive : le baseball.
b. J'aime faire les choses à ma façon. > Ta personnalité sportive : le soccer.

11. Que préfères-tu boire?
a. Un chocolat chaud. > Ta personnalité sportive : le hockey.
b. Une boisson gazeuse glacée. > Ta personnalité sportive : le basket-ball.

QUE RÉVÈLE TA PERSONNALITÉ SPORTIVE?

Athlétisme. Tu ne te laisses pas décourager par les obstacles. Tu as ce qu'il faut pour rester dans la course. Quand une occasion se présente, tu sautes dessus à pieds joints.

Baseball. Tu es fier de tes exploits. Tu préfères les choses simples. Tu saisis toujours la balle au bond et tu restes de marbre devant l'adversité.

Basket-ball. Tu es vif d'esprit et réagis rapidement. Les gens te respectent, car tu n'es pas un panier percé.

Crosse. Généralement, c'est toi qui as le gros bout du bâton. Tu t'entends bien avec les autres, sauf lorsqu'ils te cherchent des crosses.

Football. Tu ne restes pas sur la défensive et n'as pas peur de t'attaquer à de gros problèmes. Si quelqu'un dépasse les limites, dis-lui de dégager le terrain.

Golf. Tu as une volonté de fer et ceux qui se mettent en travers de ton chemin verront de quel bois tu te chauffes.

Hockey. Tu es un fonceur. Tu sais qu'avec un bon entraînement et beaucoup de détermination, tu pourras atteindre tes buts.

Planche à neige. Il n'y a rien comme une montée d'adrénaline que procurent les descentes vertigineuses sur la neige. Le calme plat ce n'est pas pour toi.

Soccer. Tu es fort et passionné. Rien ne te fait dévier de ta trajectoire quand tu veux sortir d'une mauvaise passe.

Tennis. Tu es un ami fidèle et digne de confiance, qui aime rendre service aux autres. Tu sais que dans la vie, rien ne sert de se renvoyer la balle.

LA MÉDAILLE D'OR, EST-CE POUR TOI?

Que sais-tu sur les Jeux olympiques? Connais-tu leur histoire, leurs disciplines et leurs règlements? Vérifie tes connaissances pour savoir si tu peux décrocher une place sur le podium.

1. Que portaient les concurrents lors des premiers Jeux olympiques?
a. Une feuille de vigne
b. Une toge
c. Rien du tout
d. Un short et un t-shirt

2. En quelle année les femmes ont-elles participé au hockey sur glace aux Olympiques pour la première fois?
a. 1920
b. 1998
c. 1948
d. 1980

3. Quelle discipline a déjà été un sport olympique?
a. Le bras de fer
b. Le parachutisme
c. Le tir aux pigeons
d. La lutte dans la boue

4. Quelle est la devise des Olympiques?
a. Plus vite, plus haut, plus fort
b. Je suis venu, j'ai vu, j'ai vaincu
c. Visez haut
d. Nous sommes tous des athlètes olympiques

5. Entre 1920 et 2006, combien de médailles d'or l'équipe olympique canadienne de hockey masculin a-t-elle remportées?
a. 10
b. 2
c. 11
d. 7

6. La Jamaïque est reconnue pour participer à quel sport aux Jeux olympiques?
a. Le bobsleigh
b. Le patinage de vitesse
c. La lutte sumo
d. Le hockey

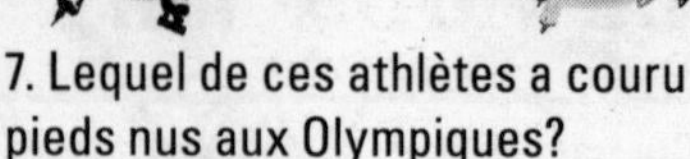

7. Lequel de ces athlètes a couru pieds nus aux Olympiques?
a. Mark Spitz
b. Jesse Owens
c. Zola Budd
d. Nadia Comaneci

8. Quelle gymnaste olympique a été la première à obtenir une note de 10?
a. Olga Korbut
b. Nadia Comaneci
c. Zola Budd
d. Mary Lou Retton

9. Dans quel sport exécute-t-on la croix de fer?
a. L'haltérophilie
b. Le décathlon
c. La gymnastique masculine
d. Le trampoline masculin

10. Dans quel sport exécute-t-on l'épaulé-jeté?
a. L'haltérophilie
b. Le décathlon
c. La gymnastique masculine
d. Le trampoline masculin

11. Quelle ville japonaise n'a jamais été l'hôte des Jeux olympiques?
a. Nagano
b. Sapporo
c. Tokyo
d. Osaka

12. Quel sport comprend une épreuve appelée « papillon »?
a. Le patinage artistique
b. La natation
c. La gymnastique rythmique
d. L'haltérophilie

13. Combien d'épreuves comprend le décathlon?
a. 12
b. 10
c. 6
d. 2

14. Dans quel sport Mark Tewksbury a-t-il remporté une médaille d'or pour le Canada en 1992?
a. Le ski alpin
b. La natation
c. Le triathlon
d. Le plongeon

15. Quel coureur canadien détenait le record du monde du 100 m en 1996?
a. Simon Whitfield
b. Ben Johnson
c. Donovan Bailey
d. Bruny Surin

16. Quelles sont les deux villes qui n'ont jamais accueilli les Jeux olympiques?
a. Calgary et Edmonton
b. Québec et Montréal
c. Toronto et Montréal
d. Toronto et Québec

17. Le Canada a raflé la médaille d'or du hockey sur glace masculin en 2002. Quel joueur ne faisait PAS partie de l'équipe?
a. Eric Lindros
b. Curtis Joseph
c. Mike Peca
d. Brett Hull

18. Dans quel sport les Canadiens ont-ils remporté le plus de médailles?
a. Le hockey
b. Le patinage de vitesse
c. L'athlétisme
d. La natation

19. Le premier à remporter une médaille d'or en planche à neige était un Canadien. De qui s'agissait-il?
a. Gaétan Boucher
b. Ross Rebagliati
c. Duff Gibson
d. David Pelletier

20. Quelle ville a reçu les Jeux olympiques en 2006?
a. Calgary
b. Beijing
c. Turin
d. Salt Lake City

POINTAGE

Accorde-toi 1 point pour chaque bonne réponse.

1. c	5. d	9. c	13. b	17. d
2. b	6. a	10. a	14. b	18. c
3. c	7. c	11. d	15. c	19. b
4. a	8. b	12. b	16. d	20. c

TU OBTIENS LA . . .

0-4 Quatrième place. Bonne chance la prochaine fois!
5-8 Médaille de bronze!
9-14 Médaille d'argent!
15-20 Médaille d'or!

QUELLE EST TA VOITURE SPORT DE RÊVE?

1. Pour toi, ce qui importe, c'est...
a. l'apparence.
b. la vitesse et la puissance.
c. impressionner les autres avec une voiture chère.

2. Si tu devais choisir, ta voiture sport serait...
a. noire.
b. orange.
c. rouge.

3. Au volant de ta voiture de rêve, tu aimerais porter...
a. un short et un t-shirt.
b. un blouson de cuir et des lunettes noires.
c. un blazer et un foulard.

4. Ta collation préférée est...
a. une Sloche « Goudron sauvage » de Couche-Tard.
b. un Blizzard.
c. des huîtres sur coquille.

5. Qu'est-ce qui te plairait le plus?
a. Rouler sur la côte californienne et t'arrêter sur une plage de surf.
b. Foncer sur des routes de campagne bordées de champs de maïs.
c. Négocier des virages à toute vitesse dans les Alpes italiennes, sans perdre la maîtrise de ton véhicule.

POINTAGE

1. a1 b2 c10
2. a1 b2 c10
3. a1 b5 c10
4. a1 b10 c5
5. a1 b3 c10

TA VOITURE SPORT DE RÊVE EST UNE...

5-10 Shelby Mustang GT. Avec toi, tout est une question d'attitude. Tu veux une voiture puissante qui proclamera au reste du monde que tu as réussi. Personne n'oserait te contredire.

11-15 Corvette Z06. Cette voiture met en évidence ton esprit d'initiative. Un jour, tu mènes la grande vie, et le lendemain, tu te relaxes avec tes copains sur le balcon en grattant ta guitare.

16-20 Porsche 911 GT3. Cette voiture est comme un épaulard, avec son profil aérodynamique et ses lignes pures. Pas étonnant que ce soit une voiture à ton image. Comme l'épaulard, il ne faut pas te sous-estimer. Quand tu es prêt à foncer, tu es concentré, intense et déterminé à réussir.

21-29 Jaguar XKR 5.0. Tu préfères un modèle qui a fait ses preuves plutôt que les modes passagères. Cette voiture proclame ta richesse et ton style. Elle peut t'emmener absolument partout et t'attirera toujours respect et admiration.

30-39 Ferrari FXX Evolution. Attention, le petit oiseau va sortir! Tu adores être sous les feux des projecteurs, et quoi de plus prestigieux que ce bolide rutilant avec toi au volant? Les paparazzis se bousculeront pour te prendre en photo!

40+ Lamborghini Murcielago. Tu mérites ce qu'il y a de mieux, non? Ce cabriolet de luxe est tout indiqué pour ton excellence. Les simples mortels s'inclineront devant toi — comme il se doit.

CONNAIS-TU BIEN LE HOCKEY?

1. Qui est le meilleur marqueur de tous les temps de la LNH (en saison régulière)?
a. Gordie Howe
b. Wayne Gretzky
c. Brett Hull
d. Mario Lemieux

2. Quel était le vrai nom du Rocket?
a. Morris Richard
b. Manny Richard
c. Maurice Richard
d. Malcolm Richard

3. Quelle équipe a remporté le plus de coupes Stanley?
a. Montréal
b. Toronto
c. Detroit
d. New York

4. Quelle équipe était initialement à Québec et portait le nom de Nordiques?
a. Les Stars de Dallas
b. Le Lightning de Tampa Bay
c. L'Avalanche du Colorado
d. Les Hurricanes de la Caroline

5. Quelle équipe est la troisième à avoir remporté le plus de coupes Stanley?
a. Montréal
b. Toronto
c. Detroit
d. New York

6. Combien d'équipes y avait-il au début de la LNH?
a. 8
b. 12
c. 5
d. 9

7. Quelle équipe ne faisait pas partie de la LNH au début?
a. Les Bruins de Boston
b. Les Blackhawks de Chicago
c. Le Canadien de Montréal
d. Les Sabres de Buffalo

8. Combien d'équipes y avait-il dans la LNH en 1996-1997?
a. 25
b. 26
c. 30
d. 40

9. À quelle vitesse se déplace une rondelle frappée par les meilleurs frappeurs de la LNH?
a. Environ 100 km/h
b. Environ 150 km/h
c. Environ 160 km/h
d. Environ 300 m/seconde

10. Combien de fois Gordie Howe a-t-il reçu le trophée Hart, remis au joueur le plus utile à son équipe?
a. 6
b. 7
c. 5
d. 2

11. Pourquoi les séries de la Coupe Stanley ont-elles été annulées en 1919?
a. En raison du début de la Deuxième Guerre mondiale.
b. Parce qu'il y avait une épidémie de grippe.
c. Parce qu'il y avait une émeute à Montréal.
d. À cause de la Grande Crise.

12. Qui détient le record du tir le plus rapide dans la LNH?
a. Evgeni Malkin
b. Wayne Gretzky
c. Zdeno Chara
d. Alex Ovechkin

13. En quelle année le hockey est-il devenu une discipline olympique?
a. 1920
b. 1940
c. 1960
d. 1980

14. Qui détient le record de celui qui a évolué avec le plus grand nombre d'équipes de la LNH?
a. Al Lafrate
b. Mike Sillinger
c. Michel Petit
d. J.J. Daigneault

15. Lequel des surnoms suivants ne correspond pas à un joueur de la LNH?
a. Le Magnifique
b. La Merveille
c. Le Mirobolant
d. Le Dominateur

POINTAGE

Accorde-toi 1 point pour chaque bonne réponse.

1.	b	9.	c
2.	c	10.	a
3.	a	11.	b
4.	c	12.	c
5.	c	13.	a
6.	c	14.	b
7.	d	15.	c
8.	b		

RÉSULTATS

1-3 Zone des buts. Tu aiguises tes connaissances un peu plus chaque jour.

4-6 En échappée! Tu ne te laisses pas distancer.

7-8 Avantage numérique! Tu connais bien le hockey.

9-10 Tour du chapeau! Tu domines le jeu.

AS-TU CE QU'IL FAUT POUR SURVIVRE?

1. Tu es tombé dans des sables mouvants! Que fais-tu?
a. J'appelle ma maman.
b. Quand les crocodiles s'approchent, j'en attrape un par la queue pour m'aider à sortir.
c. Je me laisse flotter lentement vers le haut, en surveillant les vautours affamés.
d. Je me débats furieusement pour ne pas m'enfoncer dans cette bouillie mortelle.

2. Tu patines sur un étang gelé lorsque tu entends la glace craquer. Que fais-tu?
a. Je continue de patiner. La glace et la neige font toujours de drôles de bruits.
b. Je me dirige aussitôt vers la rive.
c. Je saute sur place pour voir si la glace est solide.
d. Je vais au milieu de l'étang, où la glace est plus épaisse.

3. Tu es coincé dans une avalanche! Que fais-tu?
a. J'agite les bras pour demeurer à la surface et ne pas me faire enterrer.
b. Je lève mes bâtons de ski pour signaler ma présence aux sauveteurs.
c. Je commence à creuser pour créer une poche d'air.
d. Je retiens mon souffle.

4. Pendant une randonnée, tu te rends compte que tu as oublié ton lunch. Un serpent venimeux croise ta route et t'attaque! Que fais-tu?
a. Je le tue et le mange.
b. Je mets de la glace sur la morsure pour ralentir la progression du venin. Ensuite, je tue le serpent et le mange.
c. J'aspire le venin en suçant la morsure.
d. Je lave la plaie avec de l'eau et essaie d'aller chercher de l'aide.

5. Ton canot de sauvetage est submergé au milieu de la mer. Que fais-tu?
a. J'enlève mes chaussures et mes vêtements pour qu'ils ne me fassent pas couler.
b. Je saisis un objet qui flotte et m'y accroche en attendant les secours.
c. J'appelle ma maman.
d. Je nage jusqu'au rivage.

6. Tu es seul dans les bois lorsqu'un orage éclate. Que fais-tu?
a. Je m'abrite sous le plus grand arbre.
b. Je m'immerge dans le marais le plus proche.
c. Je m'accroupis en boule.
d. Je prends des photos. C'est un orage spectaculaire!

7. Tu es perdu dans un désert torride, sans aucune aide en vue. Tu as faim et soif, et il ne te reste qu'un peu de nourriture et d'eau. Que fais-tu?
a. Je mange.
b. Je bois.
c. Je résiste à la tentation de manger et boire.
d. Je mange et je bois.

8. Un requin vient vers toi! Que fais-tu!
a. Je lui donne un coup de poing sur le museau.
b. Je m'éloigne à la nage... vite!
c. Je reste immobile en espérant qu'il ne m'a pas vu.
d. Je prends sa photo. La plupart des requins sont très gentils.

9. Tous les membres de ta famille se sont transformés en zombies. Que fais-tu?
a. Si je ne peux les vaincre, mieux vaut me transformer comme eux.
b. Je roule en voiture jusqu'au casse-croûte d'une petite ville du désert.
c. Je prends une massue et je frappe tous ceux qui tentent de m'approcher.
d. Je cours à l'étage où il n'y a pas de sortie; les zombies ne peuvent pas monter n'est-ce pas?

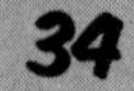

10. Tu es entouré de cannibales! Que fais-tu?
a. Je les invite à partager mon ragoût de sanglier. Ils apprécieront cette bonne « chère ».
b. Je les immobilise avec un dard empoisonné que je prépare avec des vignes, des brindilles et du jus de crapaud.
c. J'envoie un message radio pour demander de l'aide. Je ne bouge pas jusqu'à l'arrivée de l'escouade tactique. Je suis au centre-ville de Montréal, après tout.
d. Je leur demande qui les coiffe et les maquille.

POINTAGE

Accorde-toi 1 point pour chaque bonne réponse.

1. c
2. b
3. a
4. d
5. b
6. c
7. b
8. a
9. c
10. b

QUELLES SONT TES CHANCES DE SURVIVRE :

1-3 Verrouille les portes et cache-toi! Tes chances de survivre à une catastrophe sont plutôt faibles. Entoure-toi toujours d'amis forts et débrouillards pour t'aider à atteindre l'âge adulte.

4-6 En état de choc, mais conscient. Tu peux sortir indemne de certains désastres courants (explosion d'un four à micro-ondes, attaque de hamsters, invasion d'adolescentes) avec élégance. Toutefois, sois prudent chaque fois que tu t'aventures hors de ta chambre.

7-8 Boitillant, mais encore debout. Tu es un dur à cuire — à feu doux. Tu es futé et tu réagis instantanément, ce qui aide lorsque des grenades pleuvent de partout ou que des créatures préhistoriques visqueuses émergent de la lave en fusion.

9-10 Dernier survivant! Tu as ce qu'il faut pour faire face à une invasion d'extraterrestres, un holocauste nucléaire, une horde de criquets mangeurs d'hommes et une éruption volcanique. Garnis bien ta bibliothèque et ta collection de DVD, car tu te sentiras bien seul quand tu seras le dernier sur terre.

AS-TU DES YEUX D'AIGLE?

AS-TU UNE VISION PARFAITE?

Ce test te donnera une vue d'ensemble de ton acuité visuelle. L'examen utilise un outil appelé échelle de Snellen. Cette échelle est placée sur un mur bien éclairé, à une distance de 6 mètres (20 pi) du sujet. Le nombre de lignes lues par le sujet indique si sa vision est « normale », c'est-à-dire s'il perçoit la même chose à cette distance qu'une personne sans problèmes visuels (6/6). Si tu ne pouvais voir qu'à 6 mètres de distance ce qu'une personne normale peut percevoir à 24 mètres, ta vision serait de 6/24 et tu devrais porter des lunettes.

Une partie de l'échelle de Snellen est reproduite ici, mais tu devras la photocopier sur une feuille de papier 11 x 17 po en l'agrandissant à 205 %. Pour vérifier que les lettres sont de la bonne taille, assure-toi que le E au haut de la page mesure 88 mm. Note que nous avons effacé quelques lignes du test dû au manque d'espace sur la page.

Pour faire ce test, tu auras besoin :

- d'un ami
- de ruban adhésif ou d'une punaise pour fixer la feuille au mur
- d'un ruban à mesurer
- d'une photocopieuse

1. Mesure une distance de 6 mètres à partir du mur.

2. Marque l'endroit où tu devras te tenir debout ou t'asseoir.

3. Fixe l'échelle de Snellen au mur, à la hauteur des yeux.

4. Couvre ton œil gauche. Lis chaque ligne dans l'ordre, en commençant par les plus grosses lettres, en haut de la feuille. Ton ami doit être assez près de l'échelle pour pouvoir lire les lettres et vérifier si tu les lis correctement.

5. Prends note de la dernière ligne que tu peux lire sans faire plus d'une erreur.

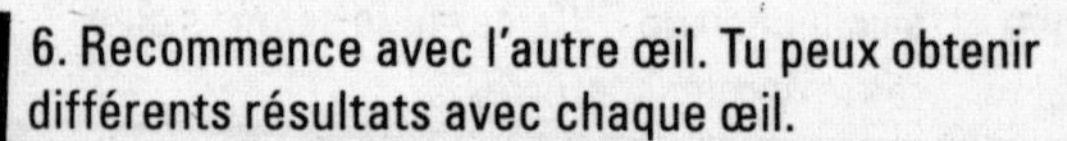

6. Recommence avec l'autre œil. Tu peux obtenir différents résultats avec chaque œil.

20/200 E 200 PI/61 M 1

20/70 T O Z 70 PI/21,3 M 2

20/50 L P E D 50 PI/15,2 M 3

20/40 P E C F D 40 PI/12,2 M 4

20/25 F E L O P Z D 25 PI/7,62 M 5

20/20 D E F P O T E C 20 PI/6,10 M 6

20/13 F D P L T C E O 13 PI/3,96 M 7

20/10 P E Z O L C F T D 10 PI/3,05 M 8

RÉSULTATS

• Les résultats sont indiqués à gauche de chaque ligne. Si tu peux lire la dernière ligne avec un de tes yeux, le résultat pour cet œil sera de 6/4,5, ce qui veut dire qu'une personne normale peut seulement lire à 4,5 mètres de distance ce que tu peux lire à 6 mètres. Autrement dit, tu es hypermétrope et vois mieux de loin que la plupart des gens. L'hypermétropie est fréquente chez les enfants.

• Si tu peux seulement lire l'avant-dernière ligne, ta vision est normale. Tu vois aussi bien que la plupart des gens.

• Si tu peux seulement lire la troisième ou quatrième ligne à partir du bas, tu es myope. Cela signifie que tu dois être plus près d'un objet pour le voir clairement. Si tu obtiens ce résultat, tu devrais demander à tes parents de t'emmener voir un professionnel de la vue pour subir un examen plus poussé.

AS-TU DES YEUX AUTOUR DE LA TÊTE?

Ce test permet de vérifier ta vision périphérique, c'est-à-dire si tu peux bien voir sur les côtés. L'ensemble de l'espace vu par un œil s'appelle le champ visuel.

1. Ferme ton œil gauche. Étends tes bras sur les côtés, à la hauteur des épaules, en pointant les doigts.

2. Ramène lentement tes bras vers l'avant. Arrête de bouger un bras dès que tu commences à voir ta main.

3. Note dans quelle position se trouvent tes bras et compare-la aux illustrations ci-dessous.

4. Recommence en fermant l'œil droit.

POINTAGE

Œil gauche fermé

1. Bras gauche, droit devant toi; bras droit à un angle de 45 degrés
2. Bras gauche légèrement écarté; bras droit presque complètement sur le côté
3. Bras gauche encore plus écarté; bras droit sur le côté
4. Les deux bras sur le côté

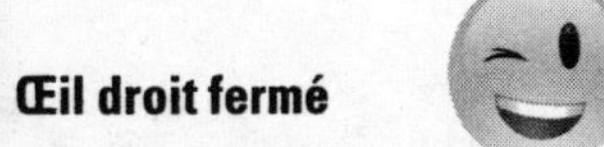

Œil droit fermé

1. Bras droit, droit devant toi, bras gauche à un angle de 45 degrés
2. Bras droit légèrement écarté; bras gauche presque complètement sur le côté
3. Bras droit encore plus écarté; bras gauche sur le côté
4. Les deux bras sur le côté

POUR CHAQUE ŒIL, SI TU AS CHOISI...

1, tu as un champ visuel **limité**.

2, tu as un champ visuel **acceptable**.

3, tu as un **excellent** champ visuel.

4, tu as des **yeux autour de la tête!**

Sais-tu que les cellules visuelles en bordure de la rétine sont sensibles à la couleur, surtout le rouge et le jaune? Recommence le test en tenant dans ta main un objet de couleur vive, comme une balle. La balle apparaît-elle plus rapidement dans ton champ de vision?

AS-TU DES SUPER RÉFLEXES?

Les nerfs envoient des messages de ton cerveau aux différents organes de ton corps et vice-versa. Grâce à ces tests, vérifie l'efficacité de ton système nerveux!

Il te faudra un partenaire pour la plupart de ces tests. Aide-le, lui aussi, à faire les tests!

1. Les mouvements oculaires

Trois nerfs permettent à tes yeux de suivre un objet en mouvement.

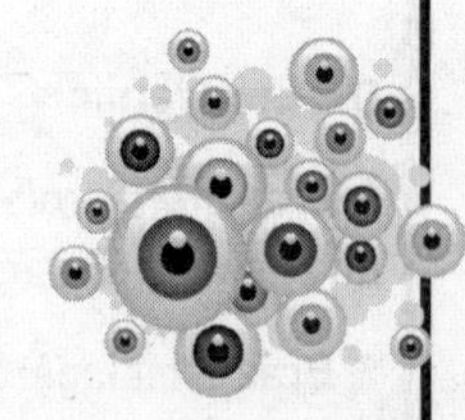

Pour ce test, demande à ton partenaire de lever un doigt, à environ 30 cm devant toi. Garde la tête immobile et les yeux fixés sur le bout de son doigt.

Dis-lui de déplacer son doigt vers le haut, puis le bas, la gauche et la droite.

Les deux yeux ont-ils bien suivi le mouvement du doigt?

2. Les pupilles

Tes pupilles (le cercle sombre au centre de chaque œil) s'ouvrent et se ferment en réaction à la quantité de lumière à laquelle elles sont exposées. Lorsque tu es dans un endroit très lumineux, tes pupilles se contractent et deviennent très petites, ce qui laisse entrer moins de lumière dans ton œil. Dans un endroit sombre, elles se dilatent et deviennent très grandes pour laisser entrer plus de lumière.

Pour vérifier la réaction de tes pupilles aux variations lumineuses, va avec ton partenaire dans une petite pièce sans fenêtre, comme une salle de bains. Éteins la lumière. Dis à ton ami d'allumer, puis d'examiner tes yeux.

Est-ce que les deux pupilles se contractent rapidement?

Maintenant, ouvre la porte et éteins la lumière. La pièce devrait être sombre, mais pas complètement obscure. Dis à ton ami de regarder tes pupilles. Se dilatent-elles graduellement dans la pénombre?

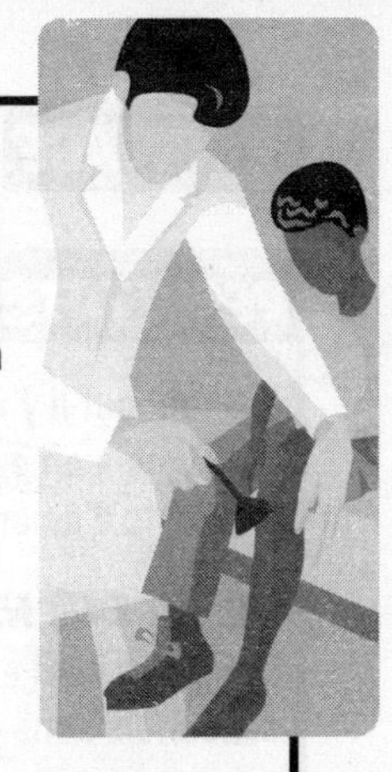

3. Le réflexe rotulien

Ce test vérifie si les messages se rendent correctement des muscles de la jambe à ta moelle épinière.

Assieds-toi, les jambes croisées, de manière à ce que la jambe du dessus puisse se balancer librement. À l'aide du tranchant de la main (comme au karaté), ton ami doit frapper légèrement ta jambe, juste sous la rotule.

La jambe donne-t-elle aussitôt un « coup de pied »?

4. Le réflexe de Babinski

Ce test vérifie également le fonctionnement du système nerveux.

Demande à ton ami de frotter légèrement la plante de ton pied.

Y a-t-il une flexion du gros orteil?

5. Le réflexe de sursaut

Pour ce test, ton ami doit te surprendre en faisant un gros bruit soudain à un moment inattendu au cours de la journée.

Réagis-tu à ce bruit en faisant un mouvement convulsif, en bougeant la tête, en clignant des yeux, en levant les bras, en sautant, en criant ou en bougeant nerveusement?

6. Le nerf grand hypoglosse

Ce nerf contrôle les mouvements de la langue.

Sors la langue et bouge-la d'un côté et de l'autre.

Se déplace-t-elle facilement dans toutes les directions?

POINTAGE

Additionne le nombre de « oui » obtenus.

RÉSULTATS

0-2 Youhou! Il y a quelqu'un, là-dedans?
3-4 Zombie en puissance
5-6 Nerfs d'acier!

AS-TU DES NERFS D'ACIER?

Découvre quel espace sépare tes récepteurs sensoriels dans différentes parties de ton corps.

Pour ces tests, tu auras besoin d'un partenaire, de deux crayons taillés et d'une règle.

Directives

1. Enlève ton chandail.
2. Tourne le dos à ton ami.
3. Dis-lui de toucher *légèrement* ton dos avec les deux pointes de crayon. Les crayons devraient être à environ 20 cm de distance. Peux-tu sentir les deux pointes?
4. Demande-lui de toucher de nouveau ton dos avec les crayons, mais cette fois en les rapprochant d'environ 1 cm. Peux-tu toujours sentir les deux crayons?
5. Continue de rapprocher les crayons de plus en plus. À un certain moment, tu ne sentiras plus deux pointes distinctes. Tu auras l'impression qu'il y a un seul crayon! Informe ton ami lorsque tu ne sentiras qu'une seule pointe.
6. Demande-lui de mesurer et de noter la distance entre les deux crayons. Cela correspond à la distance entre tes neurones sensoriels dans l'épiderme de cette partie de ton dos.
7. Garde les yeux fermés et dis-lui de répéter l'expérience à différents endroits comme le haut du bras, le poignet, la cuisse, le pied et l'index. Notez les distances pour chaque zone.

Partie du corps	Distance où tu ne distingues plus deux contacts
Haut du dos	
Bas du dos	
Haut du bras	
Poignet	
Cuisse	
Intérieur de l'index	
Extérieur de l'index	
Dessus du pied	
Plante du pied	

Dans quelle partie de ton corps les neurones sensoriels sont-ils le plus rapprochés? Le plus éloignés? Qu'as-tu appris sur la sensibilité au toucher de certaines parties de ton corps?

Compare tes résultats avec ceux de ton ami. Qui a les résultats les plus élevés? Les moins élevés? Cela ne signifie pas que l'un de vous est meilleur. Il est juste intéressant de prendre conscience de sa propre sensibilité au toucher et de la comparer avec d'autres.

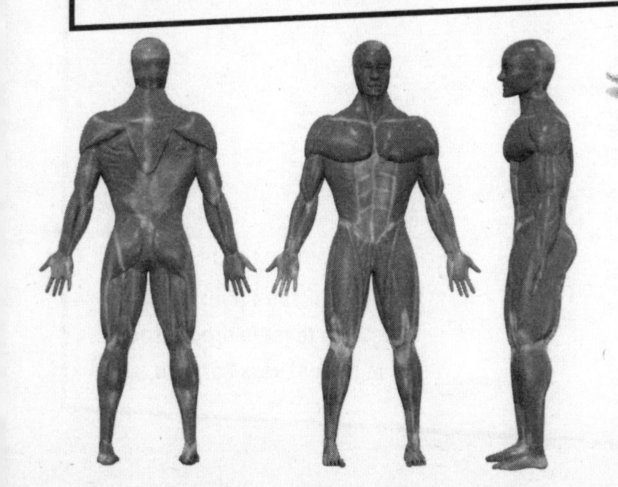

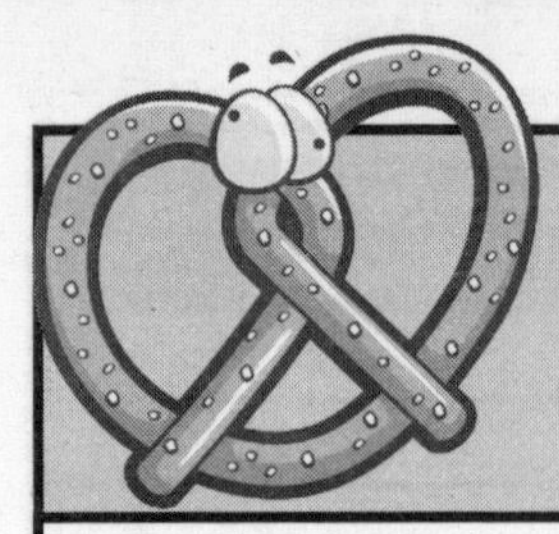

ES-TU ULTRAFLEXIBLE?

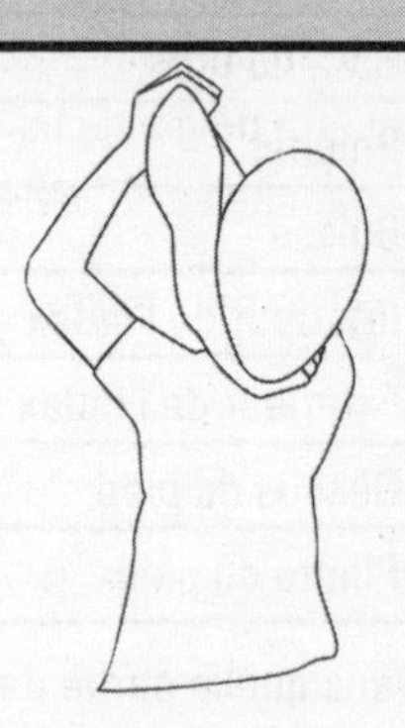

Voici quelques tests pour vérifier si tu es désarticulé.

Être désarticulé ne signifie pas uniquement qu'on s'est démis une articulation, mais aussi qu'on a les articulations plus souples que la plupart des gens. Beaucoup de gens ont une articulation particulièrement souple, mais il est plus rare de voir quelqu'un posséder plusieurs articulations exceptionnellement flexibles.

Réponds par oui ou non aux énoncés suivants :

1. Tu peux toucher l'intérieur de ton poignet gauche avec ton pouce gauche.
2. Tu peux toucher l'intérieur de ton poignet droit avec ton pouce droit.

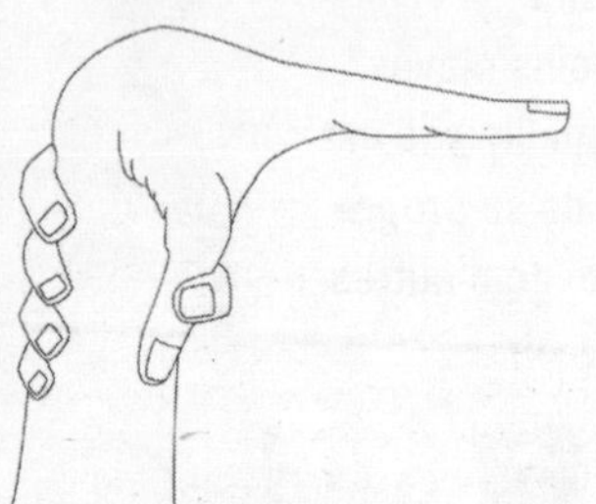

3. Tu peux tendre les bras de façon à faire pointer tes coudes vers l'intérieur au lieu de l'extérieur.

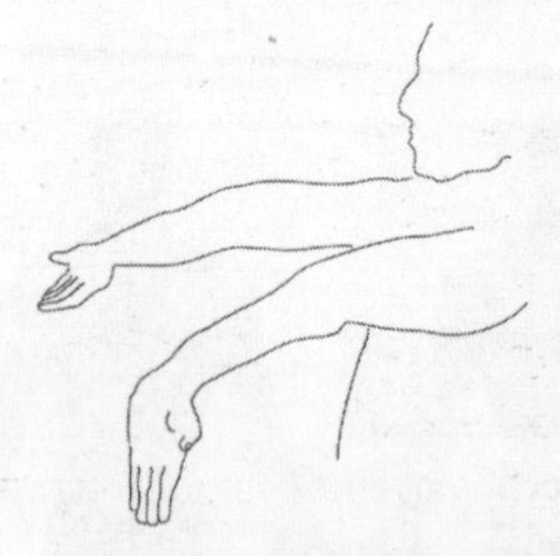

4. Tu peux tendre les jambes de façon à faire fléchir les genoux vers l'arrière.

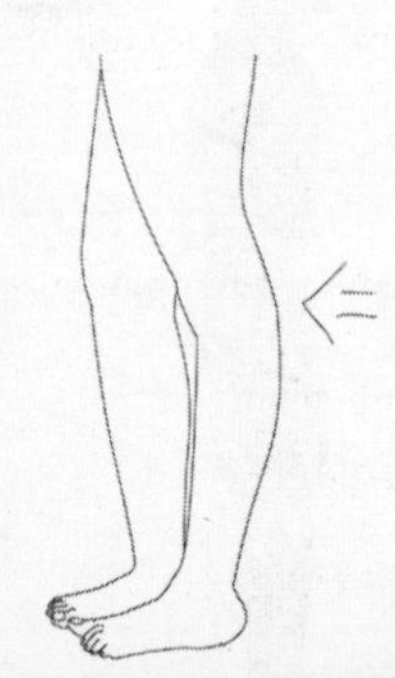

5. Tu peux faire plier quatre doigts de ta main droite (sauf le pouce) vers l'arrière.

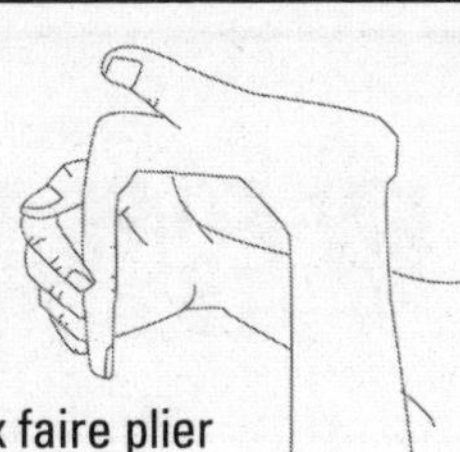

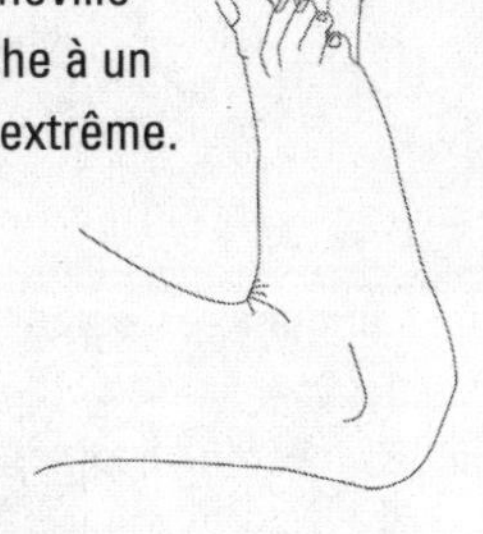

7. Tu peux plier ta cheville gauche à un angle extrême.

6. Tu peux faire plier quatre doigts de ta main gauche vers l'arrière.

8. Tu peux plier ta cheville droite à un angle extrême.

9. Tu peux faire fléchir la dernière jointure de n'importe quel doigt, pendant que le reste du doigt demeure droit.

10. Tu peux étirer tes bras derrière toi et en mettre un autour de ton cou.

11. Tu peux enrouler une jambe autour de ton cou.

12. Tu peux tordre ou plier des articulations de ton corps de façon inhabituelle ou excessive.

POINTAGE

Si tu as répondu oui à une de ces questions, cela signifie que l'articulation en question est très flexible.

RÉSULTATS

2-4 Sportif extrême! Tu peux impressionner tes amis avec tes articulations extrêmes.

5-8 Homme élastique. Tu es tordu et tordant.

9-12 Contorsionniste. As-tu déjà songé à faire carrière au cirque?

ES-TU EN FORME?

As-tu l'étoffe d'un super-héros ou d'une pâte molle? Nous sommes tous de tailles et de formes différentes, mais il est important d'être en bonne condition physique. Cela nous aide à rester en santé et à avoir assez d'énergie pour accomplir nos tâches.

Pour évaluer ta forme physique, fais chacun des tests qui suivent. Additionne ensuite tes résultats dans le tableau sommaire à la fin de cette section pour obtenir une note globale.

Remarque : si tu n'as jamais accompli ces activités ou si tu fais rarement de l'exercice, tu devrais effectuer chaque étape sous la supervision d'un adulte.

Test nº 1 : Force du tronc — Les tractions

Il te faut :

un ami;

un chronomètre ou une horloge indiquant les secondes.

Couche-toi par terre sur le ventre. Place tes paumes à plat sur le sol, sous les épaules. En gardant le corps droit comme une planche, pousse sur le plancher avec tes bras pour te soulever. Ne cambre pas le dos et ne plie pas les genoux.

Fais le plus de tractions possible en une minute, en conservant la bonne position.

POINTAGE

Consulte le tableau ci-dessous. Si tu as plus de 10 ans, enlève 1 point pour chaque année supplémentaire. Si tu as moins de 10 ans, ajoute 1 point au résultat obtenu. Par exemple, si tu as 8 ans et as fait 18 tractions, ajoute 1 point à ton total, ce qui te donne un pointage de 19. Si tu as 11 ans, soustrais 1 point, ce qui te donne 17.

Consulte le tableau ci-dessous pour connaître ton pointage final, puis inscris ce pointage dans le tableau sommaire.

Moins de 7	Tu as besoin d'amélioration.	Inscris 4 dans le tableau sommaire.
7-20	Bravo! Tu es en forme!	Inscris 6 dans le tableau sommaire.
21-26	Excellente condition physique!	Inscris 8 dans le tableau sommaire.
27+	Super athlète!	Inscris 10 dans le tableau sommaire.

Test n° 2 : Force du tronc —
Les tractions à la barre

Il te faut :
un ami;
un chronomètre ou une horloge indiquant les secondes;
une barre de traction (n'importe quelle barre fixe horizontale, assez haute pour que tes pieds ne touchent pas le sol).

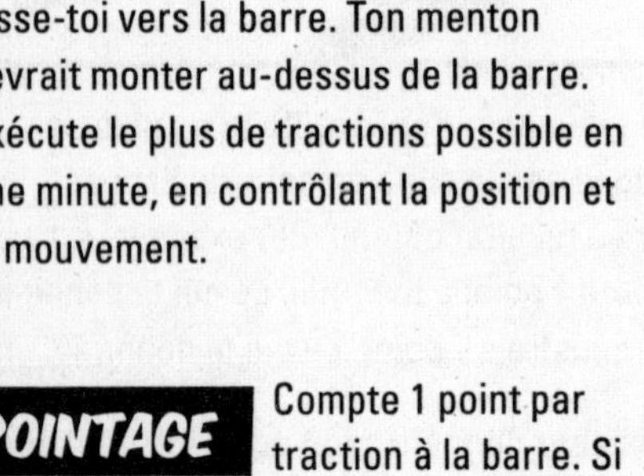

Suspends-toi à la barre par les mains (prise par-dessous, les paumes de tes mains face à toi). En utilisant seulement les bras (sans à-coups ni balancement), hisse-toi vers la barre. Ton menton devrait monter au-dessus de la barre. Exécute le plus de tractions possible en une minute, en contrôlant la position et le mouvement.

POINTAGE

Compte 1 point par traction à la barre. Si tu as plus de 10 ans, enlève 1 point pour chaque année supplémentaire. Si tu as moins de 10 ans, ajoute 1 point au résultat obtenu.

Consulte le tableau ci-dessous pour connaître ton pointage final, puis inscris ce pointage dans le tableau sommaire.

0	Tu as besoin d'amélioration.	Inscris 4 dans le tableau sommaire.
1-2	Bravo! Tu es en forme!	Inscris 6 dans le tableau sommaire.
3-8	Excellente condition physique!	Inscris 8 dans le tableau sommaire.
9+	Super athlète!	Inscris 10 dans le tableau sommaire.

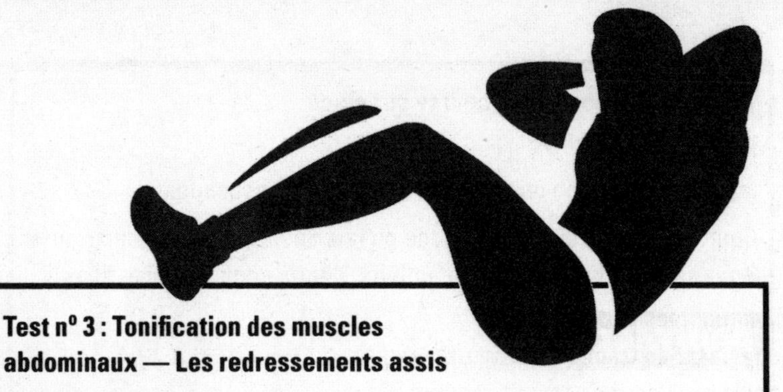

Test n° 3 : Tonification des muscles abdominaux — Les redressements assis

Il te faut :
un ami;
un chronomètre ou une horloge indiquant les secondes.

Étends-toi sur le dos, les mains derrière le cou (doigts qui se touchent ou croisés). Plie les genoux et place la plante de tes pieds sur le sol (talons à moins de 30 cm des fesses). Au signal du départ, redresse le tronc jusqu'à ce que tes coudes touchent tes genoux, puis retourne à la position initiale, étendu sur le dos, et recommence. Tu ne dois pas pousser ton cou avec tes mains : ce ne sont pas tes mains qui t'aident à te redresser. Fais le plus de redressements possible en une minute.

POINTAGE Compte 1 point par redressement assis. Si tu as plus de 10 ans, enlève 2 points pour chaque année supplémentaire. Si tu as moins de 10 ans, ajoute 2 points au résultat obtenu.

Consulte le tableau ci-dessous pour connaître ton pointage final, puis inscris ce pointage dans le tableau sommaire.

Moins de 33	Tu as besoin d'amélioration.	Inscris 4 dans le tableau sommaire.
34-39	Bravo! Tu es en forme!	Inscris 6 dans le tableau sommaire.
40-49	Excellente condition physique!	Inscris 8 dans le tableau sommaire.
50+	Super athlète!	Inscris 10 dans le tableau sommaire.

Test nº 4 : Aérobie — La course sur place

Il te faut :
un chronomètre ou une horloge indiquant les secondes.

Cours sur place, saute à la corde ou fais des sauts avec écarts durant 3 minutes. Au terme de cette activité, décris comment tu te sens.

POINTAGE Consulte le tableau ci-dessous pour connaître ton pointage final, puis inscris ce pointage dans le tableau sommaire.

Arrête avant la fin	Tu as besoin d'amélioration.	Inscris 4 dans le tableau sommaire.
Cœur qui bat vite, épuisé	Sur la bonne voie!	Inscris 6 dans le tableau sommaire.
Un peu essoufflé, mais ça va	Excellente condition physique!	Inscris 8 dans le tableau sommaire.
À peine en sueur	Super athlète!	Inscris 10 dans le tableau sommaire.

Test n° 5 : Équilibre — Debout sur une jambe

Il te faut :
un ami;
un chronomètre ou une horloge indiquant les secondes.

Ferme les yeux. Soulève un pied du sol en pliant le genou. Reste debout sur une jambe aussi longtemps que possible. Répète à deux reprises. Fais la même chose trois fois avec l'autre jambe.

POINTAGE

Utilise ton meilleur temps. Consulte le tableau ci-dessous pour connaître ton pointage final, puis inscris ce pointage dans le tableau sommaire.

Moins de 12 secondes	Chancelant	Inscris 4 dans le tableau sommaire.
12-23 secondes	Vacillant	Inscris 6 dans le tableau sommaire.
24-29 secondes	Performant	Inscris 8 dans le tableau sommaire.
30 secondes et +	Impressionnant!	Inscris 10 dans le tableau sommaire.

Tableau sommaire

Test
Pointage
Test 1
Test 2
Test 3
Test 4
Test 5
Pointage final

POINTAGE GLOBAL

Additionne les points de chaque épreuve, puis compare ton pointage final aux résultats ci-dessous.

20-29 Articulations grinçantes. Tu aurais avantage à faire plus d'exercice. Trouve une activité qui te plaît et qui te fera sortir à l'extérieur, comme le soccer ou le baseball. Si tu préfères une activité solitaire, il y a la course ou le vélo. Assure-toi de bouger durant au moins 10 minutes, quatre fois par jour.

30-39 Prêt à l'action. Ta condition physique est bonne. Tu peux augmenter ta force et ton endurance en pratiquant divers sports et en t'exerçant tous les jours. Entraîne-toi durant au moins 20 minutes, trois fois par jour, pour accroître ta forme physique.

40-50 Véritable athlète. Avec ta force et ton endurance, tu pourrais exceller dans tous les sports. Tu peux aller encore plus loin en faisant une heure ou plus d'activité physique chaque jour.

QUELLES SONT TES CAPACITÉS PHYSIQUES?

ES-TU VRAIMENT FORT? ES-TU VRAIMENT RAPIDE?

AS-TU D'EXCELLENTS RÉFLEXES? ES-TU TRÈS FLEXIBLE?

QUEL NIVEAU DE CONDITION PHYSIQUE VEUX-TU ATTEINDRE?

ES-TU VRAIMENT HONNÊTE?

1. Tu vois quelqu'un envoyer d'un coup de pied un ballon par-dessus la clôture durant la récré. Plus tard, quand le propriétaire du ballon le cherche, que fais-tu?
a. Je lui dis où est le ballon, mais pas comment il s'est retrouvé là.
b. Je lui dis qui a envoyé le ballon par-dessus la clôture.
c. Je lui dis qui a envoyé le ballon, sauf s'il s'agit d'un de mes amis ou d'un intimidateur.
d. Je lui dis que je ne l'ai pas vu, juste pour voir combien de temps il mettra à le trouver.

2. Tu as oublié de faire ton devoir la veille. Que fais-tu?
a. Je demande à mon père d'écrire un mot d'excuse.
b. Je dis au prof que je n'ai pas fait mon devoir à cause d'un empêchement familial.
c. Je dis au prof que j'ai oublié de faire mon devoir.
d. Je ne dis rien en espérant que le prof oubliera de vérifier les devoirs.

3. Tu trouves un portefeuille contenant un billet de 20 $ près de chez toi. Il n'y a pas de carte d'identité, mais il appartient probablement à l'un de tes voisins. Que fais-tu?
a. Je vais de maison en maison pour essayer de trouver le propriétaire du portefeuille.
b. Je prends les 20 $, puis je vais de maison en maison avec le portefeuille vide pour tenter de trouver le propriétaire.
c. Je prends les 20 $ et je jette le portefeuille.
d. Je mets le portefeuille dans un tiroir. Je le rendrai à son propriétaire si jamais je le retrouve.

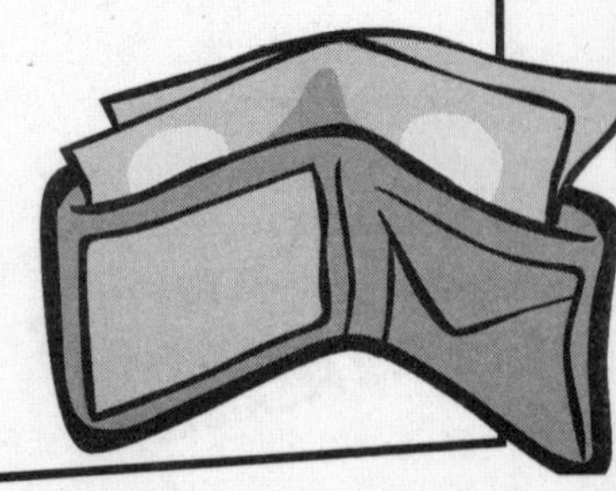

4. Une fille de ta classe te demande si tu aimes sa nouvelle coiffure. Tu trouves qu'elle a l'air ridicule. Que fais-tu?
a. Je lui dis la vérité. Tant pis si elle est blessée. Mieux vaut être honnête que de la laisser se promener avec cette tête-là.
b. Je lui dis que ça lui va bien.
c. Je lui dis que ce n'est pas mal, mais que je préférais son ancienne coiffure.
d. Je fais une blague et j'évite de répondre.

5. Tu as obtenu un A à un examen de maths difficile. Quand tu vérifies ta copie, tu t'aperçois que l'enseignant s'est trompé et que tu aurais dû avoir un C. Que fais-tu?
a. Rien. C'est un coup de chance!
b. Rien, mais je me sens coupable.
c. J'en parle à mes parents et je les laisse décider de ce que je dois faire.
d. Je dis à mon enseignant qu'il a fait une erreur.

6. Un élève de ta classe déménage dans une autre ville. Il te propose de garder le contact. Cela ne te tente pas vraiment, car tu ne l'aimes pas beaucoup. Que réponds-tu?
a. « Bien sûr! » Mais je me sens coupable, car je sais que je ne le ferai pas.
b. « Je vais essayer, mais je ne suis pas bon pour ce genre de chose. »
c. « D'accord! » Je ne le pense pas, mais à quoi bon lui faire de la peine?
d. « Non, je suis désolé. »

7. Tu brises accidentellement la fenêtre d'un voisin. Personne ne t'a vu. Que fais-tu?
a. J'avoue immédiatement ma faute et promets de payer la vitre.
b. Je dis à mes parents que j'ai vu un enfant briser la vitre.
c. Je ne dis rien et j'espère que personne ne me parlera de cette fenêtre.
d. Je raconte tout à mes parents, en leur expliquant que ce n'était pas ma faute.

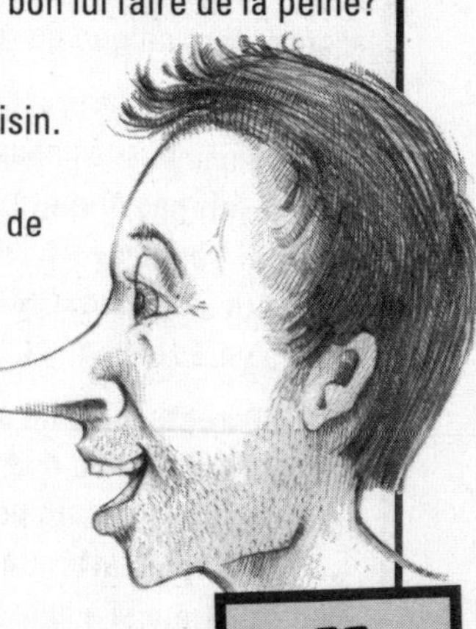

8. Tu joues au tennis avec un ami. Tu frappes la balle, qui rebondit juste à l'extérieur de la ligne. Ton adversaire ne l'a pas remarqué. Que fais-tu?
a. Rien. S'il ne dit rien, c'est qu'elle devait être dans les limites.
b. Rien. Tant pis s'il ne l'a pas vue.
c. Je crie : « Faute! » et renvoie la balle à mon adversaire.
d. Je demande : « Est-ce que la balle était bonne? » et je le laisse décider.

POINTAGE

1. a2 b4 c3 d1
2. a0 b2 c4 d3
3. a4 b1 c0 d1
4. a4 b1 c2 d3
5. a1 b2 c3 d4
6. a2 b3 c1 d4
7. a4 b0 c2 d3
8. a2 b1 c4 d3

TU ES . . .

5-10 Sournois. Tu détestes blesser quelqu'un... surtout si c'est toi! Tu n'aimes pas vraiment mentir... mais il est plus facile de raconter des histoires que de faire des vagues. Toutefois, n'en sois pas si certain. Pose-toi la question : en cas de tempête, qui te maintiendra la tête hors de l'eau?

11-17 Baratineur. C'est tellement compliqué. Qu'est-ce qu'un mensonge pieux, au fond? Et quand on sait quelque chose qu'on ne dit pas, est-ce que ça compte comme un mensonge? Puisque tu n'es pas certain, tu laisses la décision aux autres : un ami, tes parents, le destin. Mais qu'est-ce que ça révèle à ton sujet?

18-27 Loyal. Tu dis presque toujours la vérité. Lorsqu'il t'arrive de mentir, tu te sens coupable. Voilà ce qui te dérange! Même si tu ne te fais pas prendre, tu finis par regretter de ne pas avoir dit la vérité! Personne n'a jamais dit qu'il était facile d'être honnête. Cela peut être délicat, surtout si ta franchise risque de blesser quelqu'un. Excellent, continue comme ça, tu es sur la bonne voie!

28-32 Direct. Tu as un sens aigu du bien et du mal, et tu n'as pas peur de dire ce que tu penses. C'est une qualité formidable, mais parfois, tu es un peu trop direct. Tu pourrais faire un peu plus attention non seulement à ce que tu dis, mais aussi à la façon dont tu le dis.

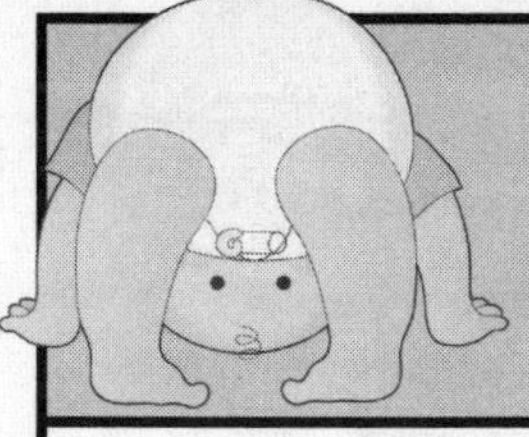

QUAND JE SERAI GRAND, JE SERAI...

1. Un de tes amis a été blessé dans un accident. Que fais-tu?
a. Je compose aussitôt le 911. > Va à la question 2.
b. Je demande l'aide d'un adulte. > Va à la question 3.
c. Je le place dans une position confortable et m'assure qu'il n'a pas froid et qu'il peut respirer. > Va à la question 4.
d. Je panique! > Va à la question 8.

2. Comment te décrirais-tu?
a. Je suis timide, mais curieux. > Va à la question 9.
b. Je suis extraverti. > Va à la question 8.
c. Je suis terre à terre. > Va à la question 5.

3. Que préfères-tu lire?
a. Un livre sur le savoir-faire. > Va à la question 5.
b. Un roman fantastique. > Va à la question 10.
c. Une histoire d'aventure avec un héros. > Va à la question 4.

4. Ta petite sœur pleure parce que son jouet est brisé. Que fais-tu?
a. J'essaie de le réparer. > Va à la question 5.
b. Je lui dis d'arrêter de pleurnicher. > Va à la question 6.
c. Je mets mon bras sur ses épaules et je la console. > Va à la question 7.

5. Tu préfères...
a. travailler avec les gens. > Tu es un meneur.
b. travailler avec tes mains. > Tu es un fermier.
c. travailler avec des idées. > Tu es un chasseur.

6. Quel énoncé te décrit le mieux?
a. J'aime me retrouver dans l'action. > Tu es un conteur.
b. J'évite d'être en vedette. > Tu es un créateur.
c. J'adore la compétition. > Tu es un guerrier.

7. Les gens te trouvent...
a. doux et gentil. > Tu es un guérisseur.
b. un peu vantard. > Tu es un conteur.
c. créatif et excentrique. > Tu es un créateur.

8. Entre ces trois collations, que choisirais-tu?
a. Un gros gâteau d'anniversaire couvert de crème fouettée, de chocolat et de trois sortes de crèmes glacées. > Tu es un créateur.
b. Des nachos ou du maïs soufflé, que je partagerais avec mes amis. > Tu es un conteur.
c. De délicieux fruits et légumes frais. > Tu es un fermier.

9. Comment préfères-tu passer ta journée?
a. À explorer la forêt. > Tu es un chasseur.
b. À me balader à la campagne. > Tu es un fermier.
c. À lutter dans la jungle urbaine. > Tu es un guerrier.

10. Quelle est ta matière favorite à l'école?
a. L'éducation physique (surtout quand on joue au ballon chasseur). > Tu es un guerrier.
b. Les maths (j'adore résoudre des problèmes). > Tu es un chasseur.
c. Les études sociales (j'aime découvrir les grands explorateurs et conquérants). > Tu es un meneur.

SI TU ES UN...

Guérisseur. Tu sais écouter les gens et prendre soin d'eux. Tu es attentif et conciliant. Autrefois, tu aurais été apprécié pour ta connaissance des herbes médicinales et des sortilèges. De nos jours, tu pourrais faire carrière comme médecin, infirmier, thérapeute, éducateur en garderie ou vétérinaire.

Conteur. Tu aimes être dans le feu de l'action. Il y a des centaines d'années, tu aurais été un barde, te promenant de village en village pour chanter et raconter des histoires. De nos jours, tu devrais envisager une carrière où tu communiques avec les gens : acteur, chanteur, musicien, vedette sportive ou journaliste.

Guerrier. Tu conjugues force de caractère et puissance physique. Tu as beaucoup de présence et de courage. Tu peux relever n'importe quel défi avec enthousiasme. Jadis, tu aurais été le premier sur le champ de bataille, entraînant les autres grâce à ta forte personnalité et à ton courage peu commun. De nos jours, tu pourrais être avocat, politicien, militaire, policier ou pompier.

Créateur. Durant la préhistoire, tu aurais communiqué avec l'au-delà et transformé tes connaissances spirituelles en dessins sur les murs d'une caverne, en danses rituelles ou en histoires captivantes. De nos jours, tes talents de créateur te permettent d'inspirer les autres. Tu pourrais devenir pasteur, illustrateur, écrivain ou réalisateur.

Meneur. Tu sais établir un contact avec les gens. Tu peux susciter l'enthousiasme ou calmer les exaltés par tes paroles. Autrefois, tu aurais été un chef de tribu ou un roi. Aujourd'hui, tu pourrais devenir politicien, activiste social, enseignant, entraîneur, militaire ou dirigeant d'entreprise.

Fermier. Doté d'un bon sens pratique, tu sais planifier et tu as la tête sur les épaules. Tu aimes le travail manuel et le grand air. Dans le passé, tu aurais été pêcheur ou fermier. De nos jours, tu pourrais mettre tes talents à profit comme fermier, chef cuisinier, ingénieur ou chercheur en environnement.

Chasseur. Tu remarques ce que les autres ne voient pas et n'a aucun mal à saisir des notions complexes. Tu adores observer les autres et résoudre des problèmes. À une autre époque, tu aurais été chasseur, explorateur ou coureur des bois. Aujourd'hui, tu serais excellent comme détective, espion, comptable, représentant commercial, entrepreneur ou zoologiste.

QUEL EST TON STYLE DE SOUS-VÊTEMENTS?

1. Comment te décrirais-tu?
a. Tranquille. Je n'aime pas me faire remarquer.
b. Un vrai boute-en-train
c. Créatif et téméraire
d. Un gars ordinaire

2. Lequel de ces sports préfères-tu?
a. Les fléchettes
b. Le football
c. La course de fond
d. Le badminton ou le tennis

3. Quel type de nourriture aimes-tu?
a. Tout ce qui est épicé!
b. De la viande et des pommes de terre
c. Les mets italiens, avec beaucoup de fromage!
d. La cuisine asiatique, avec ses légumes croquants et ses saveurs exotiques

4. En vacances, tu aimes...
a. glisser sur une chambre à air.
b. faire du ski.
c. découvrir un nouvel endroit.
d. ne rien faire.

5. Quelle sorte de musique écoutes-tu?
a. Country
b. Punk/métal
c. Classique
d. Hip-hop

6. Quelle est ta couleur favorite?
a. Noir
b. Mauve
c. Rouge. Non, vert. Non, orange.
d. Je ne me préoccupe pas de la couleur des choses.

7. Qu'aimes-tu faire après l'école?
a. Jouer au basket devant la maison avec un ami
b. Regarder la télé
c. Jouer à des jeux vidéo
d. Jouer au soccer avec mon équipe

8. Dans quelle matière es-tu le plus calé?
a. Mon équipe ou sport préférés
b. Les sciences ou les ordinateurs
c. Mon émission de télé ou personnages de films favoris
d. L'humour. J'aime faire rire les gens.

POINTAGE

Accorde-toi les points suivants en fonction de tes réponses. Additionne-les pour obtenir ton pointage total.

1. a1 b4 c3 d2
2. a1 b4 c2 d3
3. a5 b1 c2 d3
4. a4 b2 c3 d1
5. a2 b3 c1 d4
6. a2 b3 c4 d1
7. a3 b1 c2 d4
8. a3 b2 c1 d5

LES SOUS-VÊTEMENTS POUR TOI SONT...

8-16 Slips blancs. Tu n'es pas le genre de gars qui fait des vagues. Tu aimes les choses simples. Quelle importance ont la couleur ou le motif des sous-vêtements? Du moment qu'ils sont confortables, c'est tout ce qui compte.

17-24 Boxeurs. Tu adores le sport. Voilà pourquoi tu aimes porter des boxeurs : que tu fonces vers le filet ou coures vers la ligne d'arrivée, ils sont cool et confortables. Que demander de plus?

25-29 Caleçons de super-héros. Tu es enthousiaste et indépendant. Tant pis si les gens croient que les culottes à motif sont pour les tout-petits. Tu les trouves amusants. Ça te met de bonne humeur de savoir que tu as Spiderman sur le derrière!

30-34 Boxeurs imprimés. Tu ne manques pas une occasion de te faire remarquer, alors tu portes les boxeurs les plus fous et fantaisistes de la planète. De plus, tu aimes bien laisser dépasser l'élastique à motif de M. Pinotte ou de bonhomme sourire. Ça fait rigoler les copains!

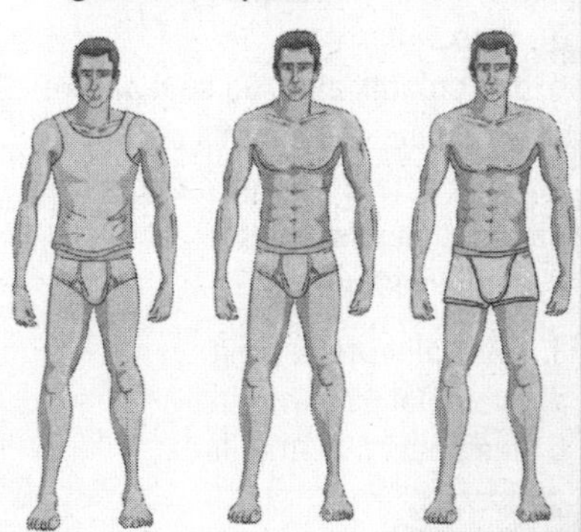

AS-TU UNE FAMILLE BIZARRE?

1. Tous les membres de ta famille...
a. aiment manger des céréales pour déjeuner.
b. sont musiciens.
c. ont du poil sur la plante des pieds.
d. ne se ressemblent pas.

2. Dans ta famille, il y a...
a. deux antilopes et un lama.
b.une mère, un père et un enfant ou deux.
c. des enfants avec un seul parent en commun, des enfants de parents différents, des enfants qui ne font que passer, etc.
d. des jumeaux.

3. Votre plat préféré est…
a. du poulet avec du riz.
b. des abats d'écureuils graisseux.
c. des aubergines gratinées.
d. du sang.

4. Au moins un adulte de ta famille a...
a. une coupe Longueuil.
b. un emploi.
c. horreur du soleil.
d. deux têtes.

5. Quand vous faites une sortie en famille, les gens qui vous voient disent :
a. « Quelle famille charmante! »
b. « Bon, personne ne fait de mouvements brusques... »
c. « Es-tu certain qu'ils sont tous parents? »
d. « C'est incroyable comme ils se ressemblent! »

6. Ta mère...
a. a une boîte dans le sous-sol que personne ne peut toucher et qui sent très mauvais.
b. a un bon sens de l'humour.
c. sort les poubelles en robe de chambre.
d. marmonne sans cesse : « Je les aurai. Un jour, je les aurai! »

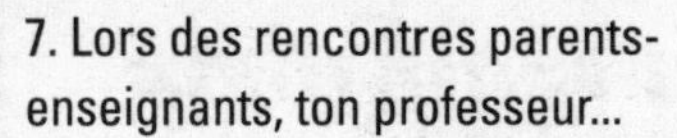

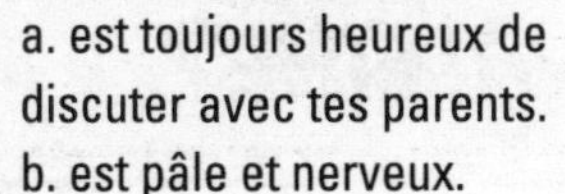

7. Lors des rencontres parents-enseignants, ton professeur...
   a. est toujours heureux de discuter avec tes parents.
   b. est pâle et nerveux.
   c. s'assure qu'il y a un gardien armé dans la pièce.
   d. dit que tu pourrais faire beaucoup mieux.

8. Quel style de musique ta famille écoute-t-elle?
   a. Classique ou folk
   b. Rock ou populaire
   c. Chant grégorien de moines
   d. Plaintes et hurlements provenant du donjon

9. Quand un de tes amis vient chez toi...
   a. ta grand-mère lui donne une belle pomme rouge.
   b. toutes les photos de la famille se mettent à chuchoter entre elles.
   c. ta sœur essaie de lui faire une transformation beauté.
   d. vous jouez à des jeux vidéo.

10. Où ta famille aime-t-elle aller en vacances?
   a. À Las Vegas
   b. En camping
   c. Au chalet (c'est si paisible et silencieux!)
   d. À Disneyland

POINTAGE

1. a1 b2 c4 d3
2. a4 b1 c2 d3
3. a1 b3 c2 d4
4. a2 b1 c3 d4
5. a1 b4 c2 d3
6. a4 b1 c2 d3
7. a1 b3 c4 d2
8. a2 b1 c3 d4
9. a2 b4 c3 d1
10. a3 b1 c4 d2

TA FAMILLE EST QUELQUE PEU...

10-12 Normale. En fait, ta famile est tellement normale qu'elle finit par sembler plutôt anormale!

13-22 Insolite. Les voisins vous trouvent un peu singuliers. Et puis après? Ils ont bien un orignal empaillé cloué au toit de leur voiture!

23-32 Étrange. Tu as raison. Les gens vous regardent d'un air soupçonneux au centre commercial. Essayez de passer inaperçus ou déménagez au pays du sasquatch pour vous retrouver avec vos semblables.

33-40 Bizarroïde. Tu as toujours voulu être spécial, n'est-ce pas? Eh bien, maintenant, tu connais la vérité. Tu l'es. Ton clan fait monter le bizarromètre dans la zone rouge. Mais ne t'inquiète pas : les X-men sont aussi des mutants, et ce sont des super-héros!

AS-TU MAUVAISE HALEINE?

1. Tu adores...
a. le fromage.
b. l'ail et les oignons.
c. l'ail, les oignons, le salami et le fromage moisi.

2. À quelle fréquence te brosses-tu les dents?
a. 2 ou 3 fois par mois
b. 2 ou 3 fois par jour, comme le recommande le dentiste.
c. Ah bon, il faut se brosser les dents?

3. Tes parents...
a. t'appellent : « notre fils, la bombe puante ».
b. t'obligent à te brosser les dents au moins 2 fois par jour.
c. se sont sauvés de la maison sans laisser d'adresse.

4. Tu as été invité...
a. à devenir l'arme secrète d'une unité militaire.
b. à figurer sur une affiche de l'Association dentaire canadienne pour donner l'exemple d'une hygiène dentaire impeccable.
c. à figurer sur une affiche de l'Association dentaire canadienne pour donner l'exemple d'un manque total d'hygiène dentaire.

5. Tu avais l'habitude de dormir avec un nounours appelé Bottine, mais...
a. son visage est devenu noir.
b. il s'est sauvé de la maison avec tes parents.
c. il a eu un malheureux accident dans la machine à laver.

6. As-tu déjà reçu l'un de ces cadeaux :
a. Un approvisionnement de rince-bouche pour un an
b. Une brosse à dents gratuite du dentiste
c. Un billet d'avion pour un pays lointain

7. Que préférerais-tu manger pour le déjeuner?
a. Des filets de hareng marinés avec une sauce à la crème
b. Des rôties ou des céréales
c. Du fromage bleu et une omelette à l'ail

8. Portes-tu un appareil orthodontique?
a. Non, voir question 4, réponse b.
b. Oui.
c. Non, car le métal se désintègre constamment.

POINTAGE

1. a1 b2 c3
2. a3 b1 c5
3. a3 b1 c5
4. a6 b1 c5
5. a3 b5 c1
6. a3 b1 c5
7. a3 b1 c5
8. a1 b2 c4

9-12 Parfum d'une douce haleine! Si seulement les fleurs sentaient aussi bons!

13-22 Émanations fétides. Ton haleine pourrait tuer un lama à 50 pas. Lorsque des chiens la hument, ils hurlent à la lune. Même les porcs sont impressionnés par ta cavité buccale nauséabonde.

23-30 Exhalaisons répugnantes. Le terme « dégueulatoire » ne parvient même pas à décrire l'arôme de tes expirations, ou la sensation qu'éprouve quiconque s'approche le moindrement de ta personne. Évite de respirer par la bouche dans les petits espaces clos si tu désires atteindre l'âge adulte.

31-38 Souffle pestilentiel. Lorsque tu parles, les nuages s'enfuient dans le ciel, les océans reculent du rivage et les bébés du monde entier braillent à l'unisson. Les spécialistes en fétidité des plus grandes universités ont tenté d'étudier ton haleine exceptionnellement infecte, mais ils sont morts à la tâche. Mets un terme au réchauffement planétaire et à la destruction des habitats naturels : brosse-toi les dents!

CHOUCHOU DU PROF OU TANNANT DE LA CLASSE?

1. Quand ton enseignant a besoin de quelqu'un pour distribuer des feuilles, que fais-tu?
a. Rien
b. Je lève la main, car je suis toujours prêt à aider!
c. Je propose mon aide pour pouvoir bavarder avec mes copains en circulant dans la classe.

2. T'arrive-t-il d'oublier ton matériel scolaire (crayons, cahier, devoir, etc.)?
a. Parfois
b. Presque tous les jours
c. Jamais

3. Te fais-tu souvent punir pour avoir bavardé en classe?
a. Oui
b. Non

4. Fais-tu toujours de ton mieux dans tes travaux scolaires?
a. Bien sûr. J'aime apprendre et avoir de bonnes notes.
b. Généralement. Parfois, quand c'est trop difficile ou ennuyeux, je bâcle mon travail.
c. Non, à quoi bon? C'est une perte de temps, de toute façon.

5. À quelle heure vas-tu au lit?
a. Je me couche quand je veux. Parfois tard, parfois tôt.
b. Je me couche à neuf heures, ainsi je me réveille facilement le lendemain.
c. Je regarde le dernier film! Je peux toujours dormir durant le cours de maths.

6. Quelques-uns de tes camarades se disputent. Que fais-tu?
a. Je ne m'en mêle pas.
b. Je participe à la discussion. J'aime être au cœur de l'action!
c. Je les observe pour voir s'il va se passer quelque chose d'excitant.

7. Tu as du mal à comprendre quelque chose en classe. Que fais-tu?
a. Je demande des explications à mon enseignant.
b. Je fais une blague et je me fais punir.
c. Je demande discrètement à mon voisin de m'aider.

8. Ton enseignante veut que tu dessines une scène tirée d'un livre. Tu détestes dessiner. Que fais-tu?
a. Rien. Je fais semblant d'avoir oublié de faire mon devoir.
b. Je lui demande si je peux faire un autre type de compte rendu parce que je n'aime pas dessiner.
c. J'essaie de faire de mon mieux, même si ce projet me déplaît.

9. Tu dois faire un travail en équipe. Il y a trois élèves dans ton équipe. Lequel es-tu?
a. Celui qui organise tout et fait la majorité du travail.
b. Celui qui participe et accomplit la tâche qu'on lui a confiée.
c. Celui qui prend tout à la légère. Le travail ne doit pas toujours être sérieux!

10. Ton enseignant te pose une question dont tu ignores la réponse. Que fais-tu?
a. Je baisse la tête en marmonnant que je ne le sais pas.
b. Je tourne la situation à la blague.
c. Je me fâche et suis impoli avec le prof.

POINTAGE

1. a1 b3 c2
2. a2 b1 c3
3. a0 b5
4. a3 b2 c1
5. a2 b3 c1
6. a3 b0 c1
7. a3 b1 c2
8. a0 b3 c4
9. a3 b2 c0
10. a2 b1 c0

TON CLASSEMENT

5-10 Diablotin. Dans la salle des profs, on peut voir ta photo avec l'indication : *Matière dangereuse — manipuler avec prudence.*

11-20 Invisible. Les profs ont du mal à se souvenir de ton nom. C'est super! Cela veut dire qu'ils ne t'accusent jamais d'avoir brisé des trucs.

21+ Chouchou. Qu'est-ce que les profs aiment le plus au monde? Des tas de devoirs, les problèmes de maths interminables et les enfants comme toi!

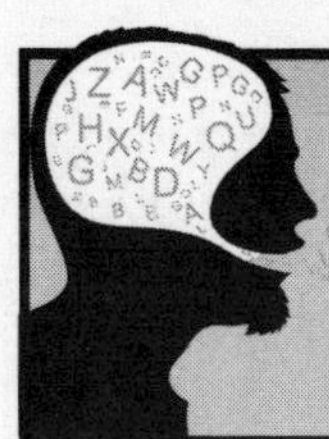

PEUX-TU DÉCODER LE LANGAGE DES ADULTES?

Associe les expressions d'adultes de la colonne de gauche à leur signification réelle dans la colonne de droite.

Quand ils disent :

1. T'es-tu peigné?
2. Vas-tu porter ça pour aller chez tante Agnès?
3. Le souper est prêt!
4. Attends que ton père arrive!
5. Tu es puni pour une semaine!
6. Je t'attendrai devant l'école à la sortie des classes.
7. J'ai essayé une nouvelle recette pour le souper. Tu vas adorer ça!
8. Sois gentil avec ton petit frère.
9. Je t'aime comme tu es.
10. Qu'est-ce que tu as dit?
11. Comment était ta journée?
12. J'aimerais connaître ton opinion.
13. Je vais y penser. On verra.
14. Est-ce que ça te dérange si on s'arrête quelques minutes au centre commercial?
15. Je suis à toi dans deux secondes!
16. J'adore ton projet d'arts plastiques! C'est très... créatif!

Ils veulent dire :

a. Non.
b. Tu devras peut-être m'attendre si je suis coincé au travail ou au magasin.
c. J'ai essayé une recette santé et le souper ressemble à de la sciure mélangée à des algues.
d. Je suis distrait et ne t'écoute pas vraiment.
e. Ne viens pas te plaindre si ton frère brise tes choses!
f. Tu vas avoir toute une punition!
g. Nous allons au centre commercial.
h. Pas de télé ni d'ordi jusqu'à ce que j'oublie que je t'ai puni.
i. Heureusement que tu es bon en maths. Tu es loin d'être un Picasso!
j. Va te changer tout de suite!
k. Va faire autre chose. Je suis occupée.
l. Ton avis ne compte pas réellement, mais je trouve que c'est gentil de te le demander.
m. Je t'aime comme tu es.
n. Va le faire tout de suite!
o. Tu vas regretter d'avoir dit ça!
p. Sois à table dans environ 15 minutes.

POINTAGE

Accorde-toi 1 point par bonne réponse :

1n, 2j, 3p, 4f, 5h, 6b, 7c, 8e, 9m, 10o, 11d, 12l, 13a, 14g, 15k, 16i

TON CLASSEMENT

1-4 Novice. Es-tu souvent perplexe quand tu parles à tes parents ou tes enseignants? Ne t'en fais pas, tu finiras par les comprendre avant d'avoir 16 ans. Et alors, ce sera à ton tour de les déconcerter!

5-8 Interprète de niveau II. Tu maîtrises bien la base. Sois patient avec les adultes, et tu finiras par les déchiffrer en un rien de temps.

9-12 Traducteur chevronné. Tu as une bonne compréhension des propos à double sens des grandes personnes. Tu pourrais même traverser l'adolescence sans être privé de sortie!

13-16 Expert en décodage. Tu sais quand non veut dire non, et quand oui signifie non. Ta maîtrise du langage adulte est si parfaite que tu es peut-être déjà passé dans le camp des *grandes personnes.* Si tu as récemment dit à quelqu'un d'aller faire son lit, tu devrais immédiatement regarder tous les épisodes de *Bob L'éponge*.

COMPRENDS-TU BIEN LES FILLES? VRAIMENT?

1. Tu dois acheter un cadeau d'anniversaire à une fille de ta classe. Tu choisis...
a. un livre sur les chevaux.
b. un bracelet scintillant.
c. un chaton en peluche dans un sac à main en plastique.

2. Tu vois trois filles assises ensemble le midi. Elles sont...
a. de grandes amies.
b. en train de se chicaner.
c. en train de comploter contre une autre fille.

3. Une fille de ta classe te dit bonjour. Cela veut dire...
a. qu'elle t'aime.
b. qu'elle te déteste.
c. qu'elle aime ton meilleur ami.

4. Lequel de ces films une fille préférerait-elle voir?
a. *Transformers 3*
b. *High School Musical 4*
c. Les dernières aventures de Barbie

5. Quand une fille dit : « Pas de problème! », cela veut dire :
a. Ne t'en fais pas.
b. Tu vas me le payer.
c. Je ne te connais même pas.

6. Les filles aiment les garçons qui...
a. sont forts et virils.
b. sont gentils.
c. aiment les mêmes choses qu'elles.

7. Une fille te propose de jouer au basket avec elle. Que fais-tu?
a. Je fais tout pour lui montrer que je suis un bon joueur.
b. Je la laisse gagner.
c. Je lui dis : « Si on parlait, à la place? »

8. Tu es avec une fille et il ne reste qu'un biscuit dans l'assiette. Que fais-tu?
a. Je la laisse le manger. On m'a appris à être poli.
b. Je le prends. Les filles ont toujours peur d'engraisser.
c. Je lui dis d'aller préparer d'autres biscuits.

POINTAGE

Accorde-toi 0 point pour chaque « a », 0 point pour chaque « b » et 0 point pour chaque « c ».

TON CLASSEMENT

0-0 Que croyais-tu? Tu es un gars! Tu ne comprendras jamais les filles! Ce sont des créatures mystérieuses et inexplicables. Peu importe tes efforts, tu n'arriveras jamais à comprendre pourquoi elles trouvent les poneys roses si mignons ou pourquoi elles crient et gloussent de cette façon. Contente-toi de sourire et de hocher la tête, puis enfuis-toi sans perdre ta dignité.

ES-TU UN INTIMIDATEUR?

1. Quand tu es fâché, tu...
a. boudes dans ta chambre.
b. te défoules sur quelqu'un d'autre.
c. piques une colère.

2. Tu joues avec tes copains dans la cour d'école. Un garçon que tu ne connais pas vous regarde. Tu...
a. l'invites à jouer avec vous.
b. lui dis d'aller jouer ailleurs.
c. fais mine de l'ignorer.

3. Généralement, tu...
a. es plutôt content de toi-même.
b. voudrais être quelqu'un d'autre.
c. te prends pour un autre.

4. As-tu déjà été victime d'intimidation?
a. Non
b. Oui
c. Je ne sais pas

5. À la maison, comment es-tu traité?
a. Avec respect et affection.
b. Je fais ce qu'on me dit, sinon je vais y goûter!
c. Bien, je suppose. Comme les autres enfants.

6. Tu trouves les travaux scolaires...
a. ni faciles, ni difficiles. Ça va.
b. plus difficiles que tu ne veux l'admettre.
c. parfois difficiles, ça dépend de la matière.

7. Comment te sens-tu, la plupart du temps?
a. Heureux, joyeux, optimiste.
b. Triste, fâché, irritable.
c. Parfois heureux, parfois triste. Ça dépend des jours.

8. Tu fais un travail en équipe. Tu as tendance à...
a. répartir les tâches équitablement et te mettre aussitôt au travail.
b. dire aux autres quoi faire.
c. faire des blagues et perdre ton temps.

9. Si tu vois des enfants maltraiter un garçon plus jeune dans la cour d'école, tu...
a. appelles un enseignant.
b. te joins à eux.
c. restes à l'écart.

10. Ton ami a reçu un nouvel ensemble de marqueurs vraiment cool. Tu lui proposes de les échanger contre tes vieux marqueurs. Il ne veut pas. Que fais-tu?
a. Ça valait la peine d'essayer, mais il ne veut pas. Tant pis.
b. J'insiste jusqu'à ce qu'il dise oui.
c. Je lui offre aussi un paquet de gomme à mâcher pour le convaincre.

POINTAGE

Accorde-toi 1 point pour chaque réponse « a », 3 points pour chaque « b » et 2 points pour chaque « c ».

TON CLASSEMENT

10-15. Tu es gentil et accommodant. Tu as plus de chances de résister à un intimidateur que d'en être un toi-même.

16-25. Tu sais que c'est mal d'intimider les autres, alors tu devrais en faire davantage pour soutenir les victimes. Si tu vois un enfant se faire maltraiter, au lieu de participer ou de ne pas t'en mêler, tu pourrais essayer de l'aider.

26-30. Tu te défoules parfois sur les autres. Tu devrais peut-être te confier à un enseignant, tes parents ou un autre adulte. Ils pourraient t'aider à clarifier ce qui se passe, pourquoi tu te sens plus ou moins bien et à trouver des solutions.

ES-TU UNE CURIOSITÉ GÉNÉTIQUE?

Les gènes à l'intérieur de tes cellules déterminent comment ton corps est construit et comment il fonctionne. Certains gènes sont courants; la plupart des gens ont les mêmes. D'autres sont plus rares. As-tu des gènes inhabituels? Ce test te permettra de le découvrir!

1. Drôles d'orteils

Regarde tes orteils. Lequel est le plus long?

a. Le deuxième orteil

b. Le gros orteil

2. Pouce-pouce

Lève le pouce. Est-il orienté vers l'arrière à un angle de 45 degrés ou plus, ou est-il droit?

a. Incliné vers l'arrière

b. Droit

3. Pain à hot-dog

Peux-tu courber ta langue en forme de pain à hot dog?

a. Non

b. Oui

4. Jusqu'aux oreilles

Les lobes de tes oreilles sont-ils attachés à ta tête ou pendent-ils?

a. Attachés

b. Détachés

5. Dracula

La ligne de tes cheveux forme-t-elle un V sur ton front?

a. Non

b. Oui

6. À gauche, toute!

Es-tu gaucher?

a. Oui

b. Non

7. À vue d'œil

As-tu les yeux bruns?

a. Non

b. Oui

8. Cheveux rares

As-tu les cheveux raides, ondulés ou frisés?

a. Frisés

b. Raides ou ondulés

9. De toutes les couleurs

De quelle couleur sont tes cheveux?

a. Blonds ou roux

b. Noirs ou bruns

POINTAGE

Accorde-toi 1 point pour chaque « a ». Ces traits sont moins répandus dans la population que les réponses « b ». Plus tu as de « a », plus tu es unique!

TU ES . . .

1-2 Une mutation ordinaire. Tu es normal à plus de 80 %. Alors, détends-toi. Tu n'es pas aussi bizarre que tu le pensais!

3-5 Légèrement différent. Sur le plan génétique, tu n'es pas étrange, mais pas ordinaire non plus. Un petit cocktail de gènes rafraîchissant.

6-7 Génétiquement bizarre. Tu sembles avoir un pourcentage de gènes atypiques plus élevé que la normale. Cela te rend intéressant et spécial. Vive l'originalité!

8-9 Unique. Un sur un million! Tu sors vraiment de l'ordinaire avec ce mélange de traits rares qui font de toi un être exceptionnel. Réjouis-toi de ces caractéristiques extraordinaires!

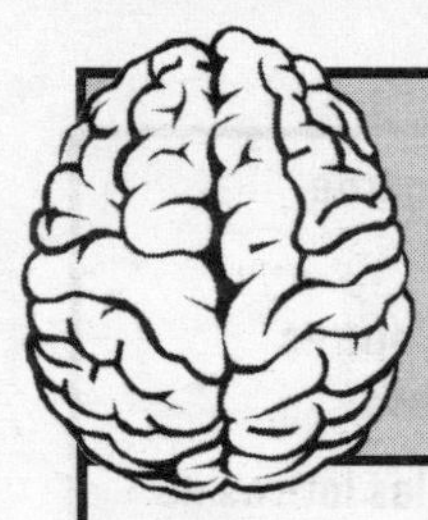

ES-TU DE GAUCHE OU DE DROITE?

Notre cerveau est divisé en deux hémisphères. Chacun se spécialise dans un type de tâches différentes. Bien que nous utilisions nos deux hémisphères pour réfléchir et fonctionner, la plupart des gens utilisent davantage un côté que l'autre. Il s'agit de leur hémisphère dominant.

La tendance dominante de ton cerveau influence ta personnalité, tes préférences et ton mode de réflexion. Ce test te permettra de découvrir quel hémisphère de ton cerveau est dominant, et ce que cela révèle à ton sujet.

Réponds par oui ou non à chacun des énoncés suivants.

1. J'aime toujours savoir l'heure.
2. J'ai parfois du mal à suivre des indications.
3. C'est clair : il y a une seule bonne façon de faire les choses.
4. Je n'aime pas me plier à un horaire.
5. Quand je perds un objet, je le visualise pour me rappeler le dernier endroit où je l'ai vu.
6. Pour indiquer un chemin, je préfère dessiner une carte qu'écrire des explications.
7. Je comprends facilement les maths.
8. J'écoute mon cœur plus que ma raison.
9. Je lis toujours le mode d'emploi avant d'assembler quelque chose.
10. Quand je réfléchis pour répondre à une question, je tourne la tête vers la gauche.
11. Je serais un bon détective, car je prête une grande attention aux détails.
12. J'ai l'oreille musicale.

13. Si on me pose une question, je lève les yeux et regarde généralement vers la droite.
14. Quand je dois résoudre un problème, je pense à d'autres problèmes semblables que j'ai résolus dans le passé.
15. Quand j'ai oublié le nom d'une personne, j'essaie les lettres de l'alphabet une après l'autre.
16. Je pense qu'il y a plus d'une façon d'examiner toute situation.
17. J'écris de la main droite.
18. Je perds souvent la notion du temps.
19. Quand je monte un escalier, je mets mon pied droit en premier sur la marche.
20. Je gesticule quand je parle.
21. Je n'aime vraiment pas dessiner.

POINTAGE

Compte le nombre de fois où tu as répondu OUI à une question impaire (1, 3, 5, etc.). _______

Compte le nombre de fois où tu as répondu OUI à une question paire (2, 4, 6, etc.)._______

Si tu obtiens plus de oui aux réponses impaires, cela signifie que ton hémisphère gauche est dominant. Si tu as plus souvent répondu oui aux questions paires, tu as probablement un hémisphère droit dominant.

TU AS UN . . .

Hémisphère gauche dominant :

Tu as tendance à être logique et à prêter attention aux détails. Tu accordes beaucoup d'importance aux faits et à l'ordre. Tu préfères les matières comme les maths et les sciences, avec des réponses claires et nettes. Tu as un esprit pratique et sais trouver des stratégies efficaces pour accomplir tes tâches.

Hémisphère droit dominant :

Tu es très créatif. Tu préfères avoir une vue d'ensemble, car tu trouves les petits détails ennuyeux et insignifiants. Tu adores inventer des histoires, imaginer des scènes loufoques, dessiner et peindre. Tu as confiance en ton instinct et ton intuition. Tu sais divertir les gens avec ton sens de l'humour.

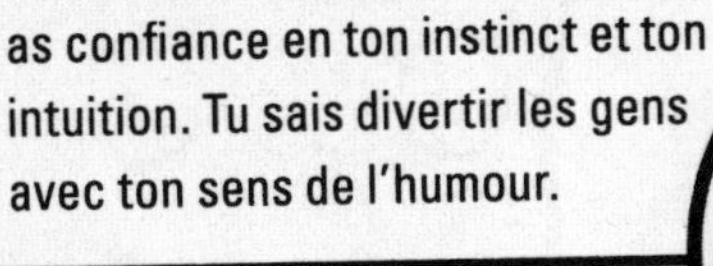

ES-TU UN GÉNIE?

1. Qui est enterré dans la tombe de Grant?
a. Michael Jackson
b. Le général Ulysses S. Grant
c. Fred Caillou

2. Relie les points.

•   •

3. Combien de cornes y a-t-il dans un tricorne?
a. 3
b. 1
c. 2

4. Qu'est-ce qui est le plus gros : le petit chat à gauche ou le gros chat à droite?

Petit chat Gros chat

5. Peux-tu épeler le mot « chat »?

6. De quelle forme est ce triangle?
a. triangle
b. cercle
c. carré

7. Peux-tu trouver ton chemin dans ce labyrinthe?

départ arrivée

8. De quelle couleur est l'ours brun?

9. Quel est ton nom?

____

10. Encercle le nombre correct.

LE NOMBRE CORRECT

Accorde-toi 1 point pour chaque réponse.

1-9 Tu devrais peut-être recommencer le test...

10+ Tu as un QI de génie!

QUELLE EST LA CHOSE LA PLUS STUPIDE QUE TU AS DÉJÀ FAITE?

QUELLE EST LA CHOSE LA PLUS INTELLIGENTE QUE TU AS DÉJÀ FAITE?

QUE VOIS-TU?

L'illusion d'optique peut être produite par des images qui trompent l'œil. Regarde les images ci-dessous, que vois-tu? Regarde de plus près encore, que vois-tu maintenant?

Est-ce l'illustration d'un triangle?

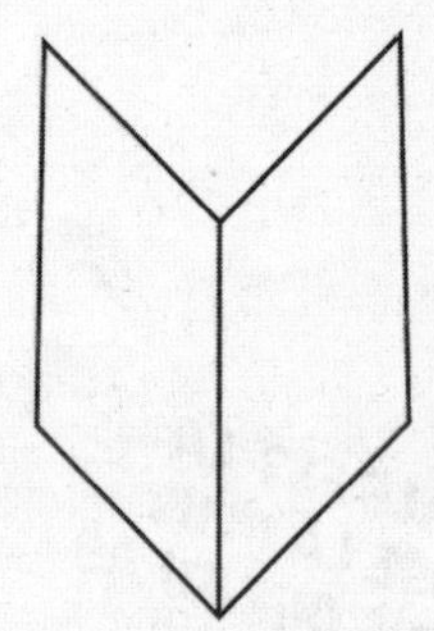

Ce livre est-il ouvert vers toi ou dans la direction opposée?

Combien de pattes cet éléphant a-t-il?

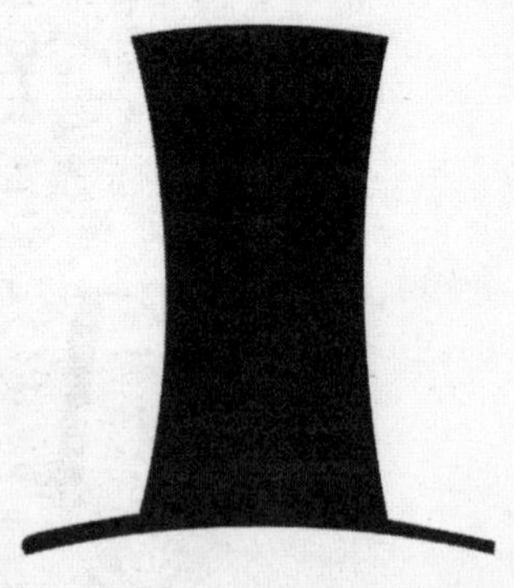

Ce chapeau melon est-il aussi haut que large? Utilise une règle pour vérifier si tu as raison.

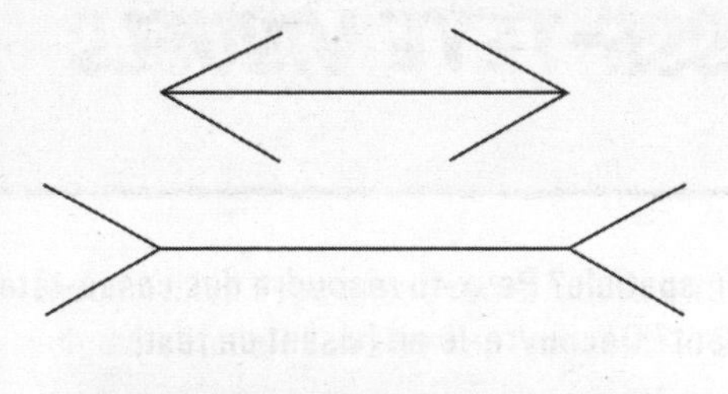

Laquelle de ces deux lignes est la plus longue? Utilise une règle pour vérifier si tu as raison.

L'extrémité gauche de la barre est-elle plus sombre que l'extrémité droite? Plie la page de façon à ce que les deux extrémités soient l'une en face de l'autre et vérifie ta réponse.

Vois-tu des points dans cette image? Qu'arrive-t-il si tu concentres ton attention sur l'un des points?

Vois-tu des visages ou une coupe dans cette image?

CASSE-TÊTE VISUELS

As-tu une bonne perception spatiale? Peux-tu résoudre des casse-tête juste en les regardant? Découvre-le en faisant ce test!

1. Peux-tu diviser le grand cercle en sections au moyen de trois lignes droites? Il ne doit y avoir qu'un petit cercle dans chaque section.

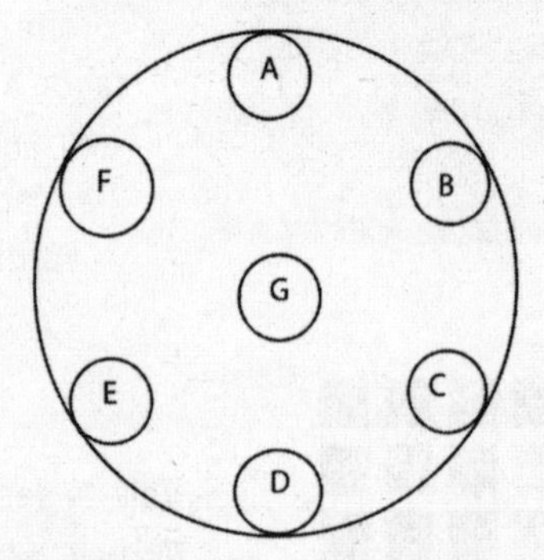

2. Colorie douze carrés de façon à ce qu'il y ait deux carrés colorés dans chaque rangée horizontale, dans chaque colonne et le long des deux diagonales.

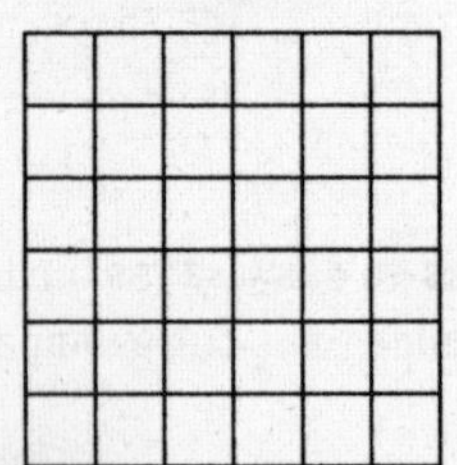

3. Trois de ces formes peuvent être combinées pour former un triangle. Lesquelles?

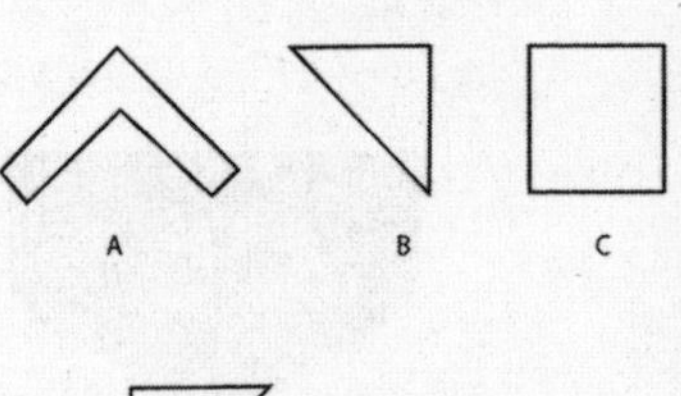

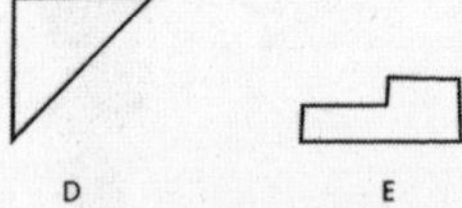

4. Enlève cinq lignes pour obtenir trois carrés.

5. Examine l'illustration du haut. Lequel des trois dessins correspond à son reflet dans un miroir?

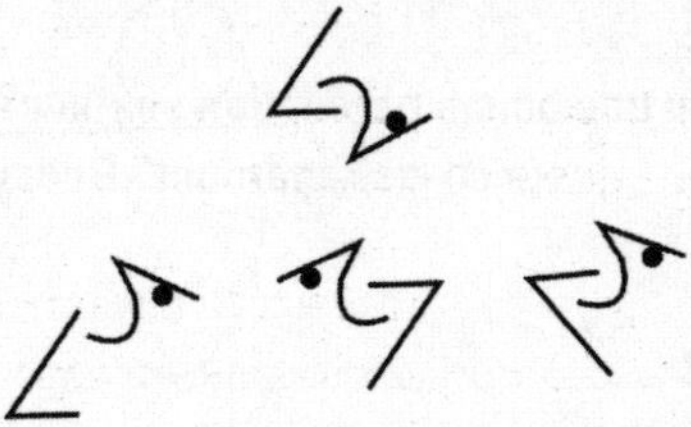

6. Combien de cubes y a-t-il dans cette tour?

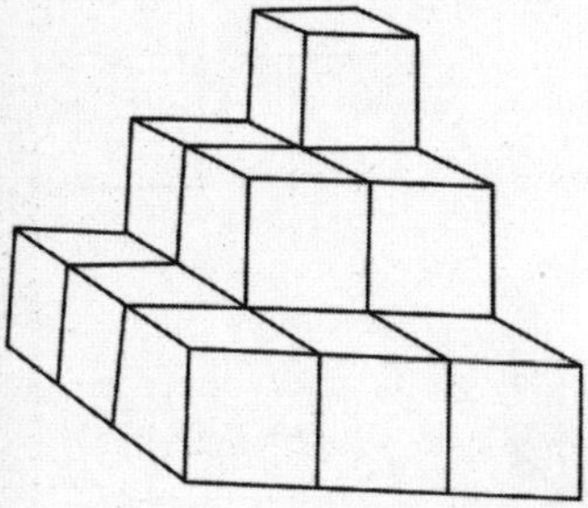

7. Quelle forme devrait aller dans la case vide pour compléter cette suite?

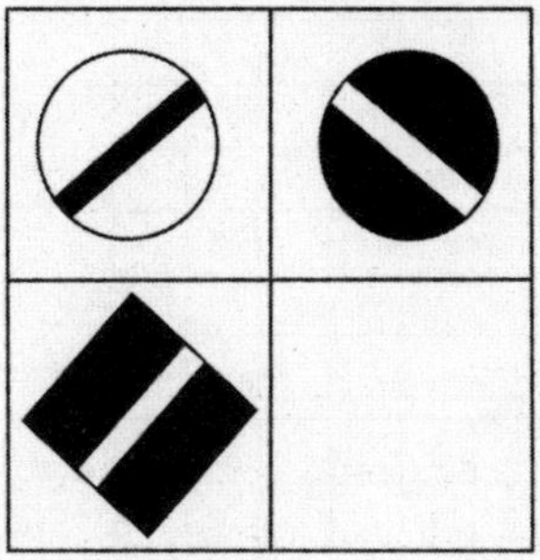

8. Trouve l'intrus dans cette rangée de lettres.

A I U T E

9. Trouve l'intrus dans cette rangée de formes.

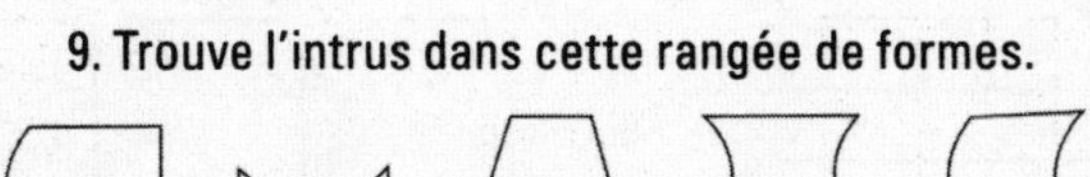

RÉPONSES

1.

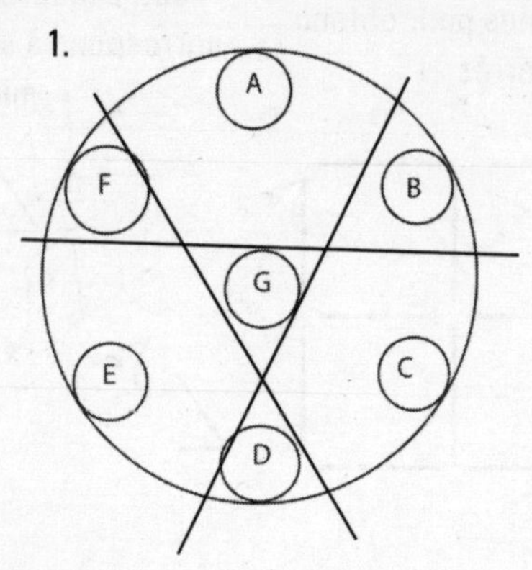

2. Il y a plus d'une réponse correcte. Voici trois solutions possibles :

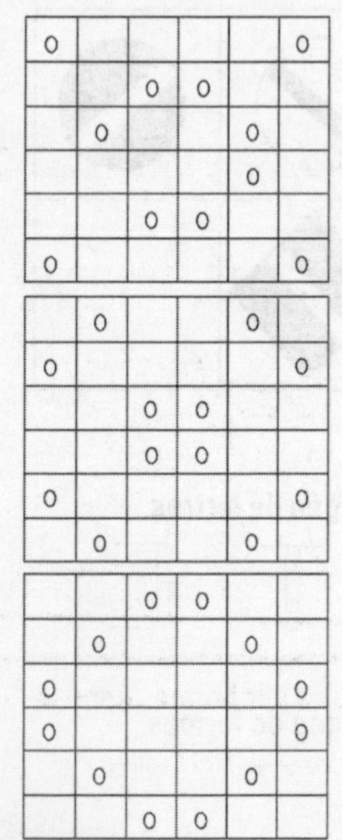

3. B, C, D

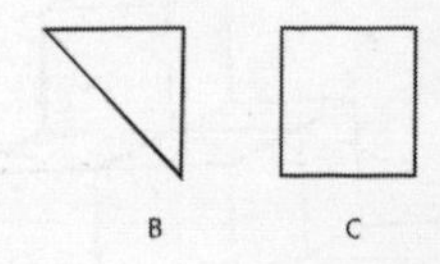

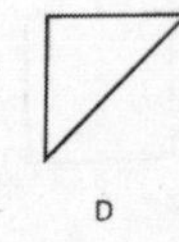

4.

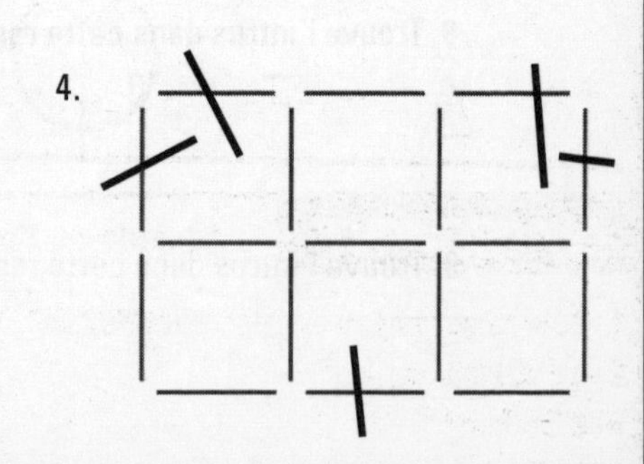

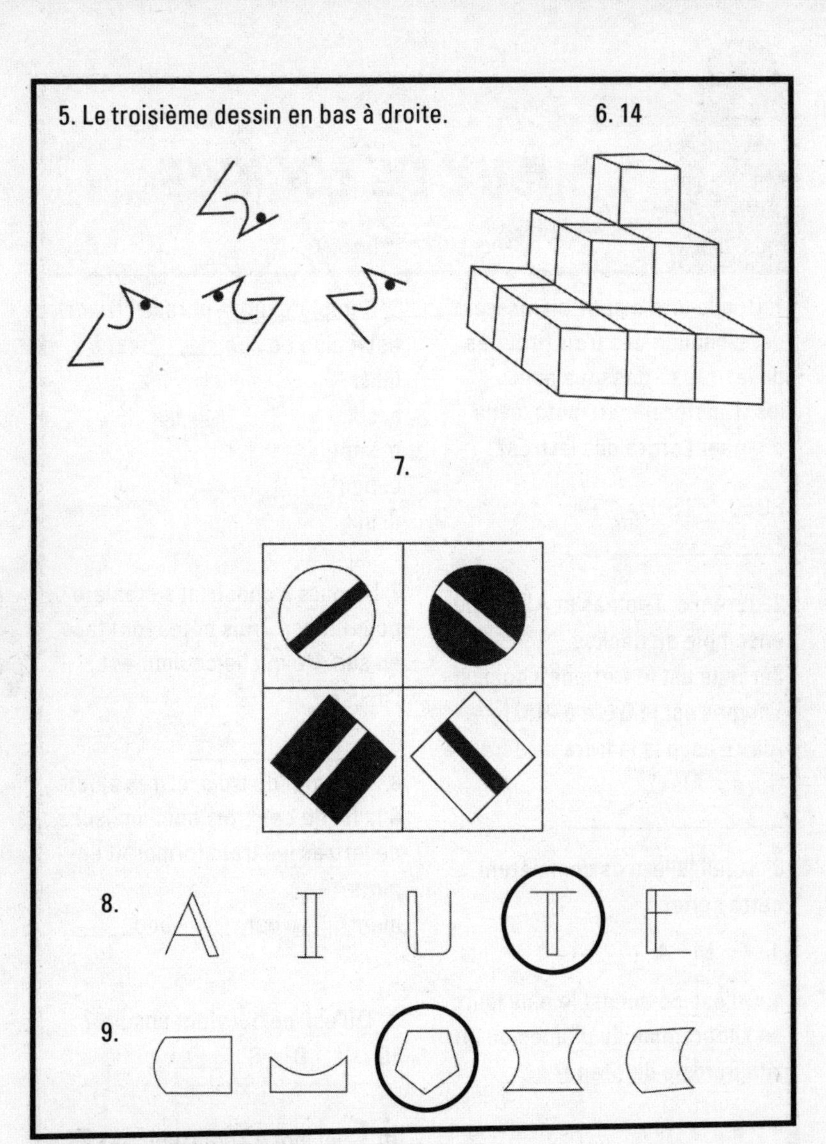

CLASSEMENT Accorde-toi 1 point par bonne réponse.

1–2 Ne te perds pas en rentrant chez toi!

2–4 Petit malin!

5–8 Brillant!

9–10 Génie!

JEUX DE LOGIQUE

1. Quelle lettre peut-on insérer dans chacun des trois groupes de lettres ci-dessous pour les transformer en mots, sans changer l'ordre des lettres?

RBE IE BN

____

2. Jérémie, Thomas et Alex jouent ensemble au hockey.
Jérémie est le frère de Thomas.
Thomas est le frère d'Alex.
Alex n'est pas le frère de Jérémie.
Qui est Alex?

____

3. Quelles lettres complètent cette série?

J F M A — —

4. Qu'est-ce qui est le plus lourd : un kilogramme de plumes ou un kilogramme de titane?

____

5. Quel mot complète cette suite?
dedans dehors grand ______

6. Complète cette phrase : Quatre est à cinq ce que _____ est à huit.
a. six
b. sept
c. neuf
d. dix

7. Un ours a construit sa tanière pour l'hiver. Trois côtés font face au sud. De quelle couleur est l'ours?

____

8. Quel mot de trois lettres ajouté à la fin de ces trois combinaisons de lettres les transformerait en mots?
men____ car____ bou____

9. Qu'est-ce qui vient ensuite?
10 V D R ___

10. Quel mot n'appartient pas à ce groupe?
Topaze, rubis, aigue-marine, grenat, éclat

____

RÉPONSES

Accorde-toi 1 point pour chaque bonne réponse.

1. O (ROBE, OIE, BON)

2. Alex est la sœur de Jérémie.

3. M et J (ce sont les premières lettres des mois **j**anvier, **f**évrier, **m**ars et **a**vril; les mois de mai et **j**uin viennent ensuite).

4. Ils ont exactement le même poids : 1 kilogramme.

5. Petit

6. b

7. Blanc. Pour que trois côtés soient orientés vers le sud, la tanière doit être au pôle Nord. L'ours est donc un ours polaire.

8. TON

9. A. Il s'agit des symboles sur les cartes à jouer, en ordre ascendant, en commençant par 10 : 10, **v**alet **d**ame, **r**oi, et **a**s.

10. Éclat. Tous les autres mots sont des noms de pierres précieuses ou semi-précieuses.

POINTAGE

1-2 Malin!
3-5 Futé!
6-8 Brillant!
9-10 Einstein!